Chères lectrices,

Que ce soit en ville ou à la campagne, sans doute percevez-vous déjà tous ces signaux que la nature nous envoie pour nous avertir que le soleil va bientôt revenir. La naissance des bourgeons, le chant des oiseaux, les jours qui allongent : tout nous annonce l'arrivée prochaine du printemps, cette saison merveilleuse où nous nous sentons renaître. Notre corps et notre esprit, engourdis par un trop long hiver, se font soudain plus légers. N'avez-vous pas la sensation, à cette période de l'année, que nous devenons plus attentives aux choses et aux personnes qui nous entourent ?

L'achat d'une petite robe, une nouvelle coupe de cheveux, un parfum de lilas et d'aubépine, de nouvelles rencontres : autant de promesses de joie et de légèreté qui s'offrent à nous, autant de prétextes pour faire des rêves qui embellissent l'existence. Sans oublier la lecture de vos romans…

Ce mois-ci, je vous invite à découvrir les premiers volets de nos deux nouvelles trilogies, « Héritage pour trois play-boys » et « La saga des McKinnon » : laissez-vous emporter par les aventures de ces deux familles aussi différentes qu'attachantes : émotion, passion, conflits et secrets seront au rendez-vous… pour notre plus grand plaisir !

Très bonne lecture,

La responsable de collection

La saga des McKinnon

de Barbara Hannay

Kane, Annie et Reid McKinnon sont
les riches propriétaires d'une immense
propriété familiale : Southern Cross.
Tout semble leur sourire. Et pourtant,
ils n'ont pas encore trouvé l'amour…

Ne manquez pas
votre premier rendez-vous
avec la saga des McKinnon :

Une surprenante idylle

Azur n° 2582

Une rencontre explosive

LINDSAY ARMSTRONG

Une rencontre explosive

COLLECTION AZUR

éditions **Harlequin**

*Cet ouvrage a été publié en langue anglaise
sous le titre :*
THE MILLIONAIRE'S MARRIAGE CLAIM

Traduction française de
JEAN-BAPTISTE ANDRÉ

HARLEQUIN®

est une marque déposée du Groupe Harlequin
et Azur ® est une marque déposée d'Harlequin S.A.

*Toute représentation ou reproduction, par quelque procédé que ce soit, constituerait
une contrefaçon sanctionnée par les articles 425 et suivants du Code pénal.*
© 2005, Lindsay Armstrong. © 2006, Traduction française : Harlequin S.A.
83-85, boulevard Vincent-Auriol, 75013 PARIS — Tél. : 01 42 16 63 63
Service Lectrices — Tél. : 01 45 82 47 47
ISBN 2-280-20480-0 — ISSN 0993-4448

1.

Joanne Lucas engagea son Range Rover gris sur une petite route défoncée et secoua la tête.

Evidemment, elle ne s'était pas attendue à ce que le trajet jusqu'au ranch du Queensland, au sud de Charleville, soit une partie de plaisir. Mais la route avait été correcte, jusqu'à présent. Pas comme cette piste cauchemardesque et poussiéreuse… Et puis, n'aurait-elle pas dû déjà être arrivée à destination ? Le soir s'apprêtait à tomber sur cette journée d'hiver, et il n'y avait aucune habitation à l'horizon. Rien que le bush australien à perte de vue.

Joanne savait, suite à ses recherches, que la région était essentiellement consacrée à l'élevage ovin. On comptait environ huit cent mille têtes aux dernières estimations. Il était donc normal que la présence humaine y soit plutôt discrète, noyée dans cet immense espace.

Pourtant, les Hastings devaient tirer de confortables revenus de leur domaine de Kin Can, réputé pour sa production de la laine. Ne pouvaient-ils pas se permettre la construction d'une route décente ? Comment diable faisaient les camions chargés de laine ? Et pourquoi l'entrée du ranch n'était-elle pas indiquée de manière plus évidente ? Joanne avait bien failli la manquer.

Peut-être les Hastings voulaient-ils ainsi décourager

les éventuels visiteurs. Si c'était le cas — mais pour-quoi ? — c'était plutôt réussi. Arriver à Kin Can demandait de la détermination, de la patience et...

Joanne écrasa la pédale de frein en apercevant soudain, au moment où elle arrivait au sommet d'une petite éminence, un homme debout au milieu de la route.

Cette vision, au milieu de cette immensité déser-tique, était déjà inattendue en soi. Mais il y avait plus surprenant encore : le fusil que l'homme pointait dans sa direction !

Elle s'arrêta à une dizaine de mètres de lui. L'homme s'approcha et ouvrit la portière avant qu'elle puisse la bloquer.

— Mais qu'est-ce que vous...

L'inconnu la saisit par le bras et la força à descendre de voiture.

— Mais vous êtes complètement fou ? protesta-t-elle. Vous...

Soudain, elle sentit le canon du fusil sur son estomac.

— Votre nom ? demanda l'homme d'une voix rude.

— Joanne. Mais... mais on m'appelle Jo.

— Je sais. Encore que j'attendais plutôt un « Joe » au masculin. Mais ils vous ont peut-être chargée de me séduire jusqu'à ce qu'ils me retrouvent ?

Il s'interrompit, et un éclair amusé apparut dans ses yeux comme il la détaillait de la tête aux pieds.

— Dans ce cas, il fallait vous habiller de manière un peu plus sexy.

Joanne perdit brutalement patience et lui écrasa les orteils d'un bon coup de talon. Il ne broncha pas.

— Je porte des chaussures coquées, ma jolie. Etes-vous fâchée parce que j'ai critiqué votre façon de vous habiller ?

— Bien sûr que non !

Mais, malgré l'incongruité et le danger de la situation, oui, elle se sentait un peu vexée. Elle dut même se retenir pour ne pas répondre qu'elle n'avait pas mis un pantalon de treillis, un anorak et un bonnet dans l'espoir d'être sexy, mais plutôt dans un souci de confort.

— Ecoutez, reprit-elle, qui que vous soyez, je suis attendue à Kin Can et...

— Je n'en doute pas une seconde, Jo. Mais il y a un changement de plan. Voyons voir si vous êtes armée, pour commencer...

Et il commença à la fouiller, comme un policier.

— Eh ! Enlevez vos sales pattes de là ! se récria-t-elle. Ne me touchez pas ! Je peux vous assurer que je ne suis pas armée !

— Si vous ne voulez pas que je vous touche, déshabillez-vous.

— Quoi ? Mais vous êtes complètement fou !

— Alors tournez-vous et appuyez vos deux mains sur le capot pour que je vous fouille.

Joanne le fixa, dans la lumière déclinante du jour, et se demanda si ce n'était pas plutôt elle qui était devenue folle. Ou était-elle en train de rêver ?

Mais son agresseur avait pourtant l'air bien réel. Il était grand, plus grand qu'elle, et de carrure athlétique. Il portait un pull bleu marine sur un jean déchiré et sale. Ses cheveux noirs, épais, étaient coupés court, et un début de barbe ombrait ses joues. Son regard bleu et dur laissait supposer qu'il s'agissait d'un homme qu'il valait mieux ne pas contrarier.

Mais que lui voulait-il ? Qui était-il ? Un criminel

en cavale ? Et si c'était le cas, pourquoi avait-il paru attendre un dénommé « Joe » ?

— Décidez-vous, fit l'inconnu. Nous n'avons pas toute la journée.

Réprimant une repartie cinglante, Joanne se tourna et posa ses deux mains à plat sur le capot encore chaud.

— Allez-y. Mais si vous essayez d'en profiter, je vous tue.

Elle l'entendit rire, puis de larges mains palpèrent sans douceur ses hanches, ses cuisses, ses mollets. La situation n'avait rien d'érotique, et pourtant, elle sentit un frisson remonter le long de son dos.

— C'est bon, vous pouvez vous retourner. Vous n'êtes pas armée.

— Evidemment que je ne suis pas armée ! se récria-t-elle. Vous êtes content ?

— Ravi. Allez, montez en voiture.

Méfiante, Joanne n'obéit pas aussitôt.

— Pourquoi ?

— Nous allons faire une petite balade.

— *Nous* ? Et jusqu'où, d'abord ?

— Du côté de... Pourquoi cette question ?

Joanne hésita, réticente à lui avouer qu'elle était presque à court de carburant. Il fallait dire qu'elle s'était attendue à trouver Kin Can bien plus tôt.

— Parlez, fit-il en agitant son arme sous son nez. Qu'y a-t-il ?

— Je... je n'ai plus beaucoup d'essence.

— Bon sang... Les femmes !

— Je pense qu'il y a une pompe à Kin Can.

— C'est ce qu'ils vous ont dit, hein ? Mais malheureusement, ce n'est plus notre destination. Allez, montez et mettez le contact que je voie la jauge.

10

Joanne déglutit et fit ce qu'il lui avait ordonné. L'aiguille, sur le tableau de bord, s'anima presque imperceptiblement et se mit à flirter avec le rouge.

L'homme jura, puis demanda sèchement :

— Vous n'avez pas de bidon d'essence ?

— Non.

— Qui êtes-vous, exactement ? La poule d'un de ces gangsters ? Ils vous ont appelée en renfort faute de mieux ?

— Je n'ai aucune idée de ce dont vous parlez ! se récria Joanne. Ça n'a aucun sens ! Et je ne suis la « poule » de personne !

— Allons, ne faites pas l'innocente, ma belle.

L'homme se frotta soudain les yeux, comme s'il était fatigué, mais ce signe de faiblesse fut de courte durée.

— Montez, ordonna-t-il d'une voix dure. Nous passons au plan B.

Dix minutes plus tard, Joanne engageait son tout-terrain sur une autre piste en piteux état, suivant cette fois les indications de son ravisseur.

Elle n'avait pas eu la moindre opportunité de lui échapper. Et il avait été clair sur le fait que si elle tentait la moindre chose, il n'hésiterait pas à l'abattre. Lorsque Joanne lui avait demandé d'au moins lui expliquer ce qui se passait, il lui avait de nouveau répondu de ne pas jouer les innocentes.

Il avait ensuite balayé d'un geste sa timide tentative de faire valoir qui elle était, et quelles étaient les raisons de sa présence sur le domaine de Kin Can.

Elle conduisait à présent d'un air furieux, les mains crispées sur le volant.

— Là-bas, dit-il en désignant une forme sombre contre l'horizon. Garez-vous derrière.

Joanne crut d'abord qu'il s'agissait d'un bosquet d'arbres. Mais comme ils approchaient, elle réalisa qu'ils se dirigeaient vers deux bâtiments, dont seuls les contours étaient visibles dans le crépuscule.

— Qu'est-ce que c'est ?

— Une vieille cabane et une grange.

— C'est… c'est là que vous vivez ?

Son compagnon partit d'un rire sec.

— Arrêtez votre comédie, Jo.

La jeune femme eut une exclamation indignée.

— Je ne joue pas la comédie ! Je n'ai aucune idée de ce qui se passe, ni de qui vous êtes ! Comment vous appelez-vous ?

Son passager lui jeta un regard moqueur.

— Comme si vous ne le saviez pas. Mais puisque vous tenez à faire semblant, appelez-moi comme vous voulez. Tom, Dick, Harry… N'importe quoi fera l'affaire, tant que ça vous plaît.

— Il n'y a pas grand-chose qui me plaise, avec vous.

— Eh bien… On dirait que vous avez des griffes.

Leurs regards se croisèrent. Celui de l'homme était vaguement ironique.

Du coin de l'œil, elle étudia la tenue qu'il portait. Son pull était fait de la plus belle laine, et il était évident que sa montre valait une fortune. Ce n'était pas exactement la panoplie du rôdeur type, ou d'un homme en cavale.

Mais loin de la rassurer, cela ne faisait qu'ajouter au mystère que son ravisseur représentait.

— Quoi ? demanda-t-il soudain.

12

Joanne cligna des yeux et s'empourpra, embarrassée d'avoir été prise en flagrant délit.

— Rien.

— Vous ne songeriez pas à changer de camp, par hasard ? Ce serait une bonne idée. Etre ma maîtresse ne serait pas sans avantages...

— Mais je ne suis la maîtresse de personne ! Et je n'ai surtout aucune envie de devenir la vôtre.

— Vraiment ? fit son ravisseur d'un air narquois. J'aurais juré du contraire, il y a quelques instants...

Joanne se mordit la lèvre, furieuse, tandis qu'il se mettait à rire.

— Vous n'êtes pas très douée pour ce genre de situation, n'est-ce pas ?

Avec un haussement d'épaules, Joanne s'arrêta derrière la grange et coupa le contact.

— Si vous m'expliquiez au moins ce qui se passe...

Elle s'interrompit comme il descendait de voiture et lui intimait, d'un signe de tête peu amène, de faire de même.

— Allez, venez. Nous prenons vos affaires.

— Pour quoi faire ?

— Pour que je puisse les fouiller, qu'est-ce que vous croyez ?

Puis il ouvrit la porte de la cabane, alluma la lumière et lui fit signe d'entrer.

— Installez-vous. J'en ai pour une minute.

— Qu'est-ce que vous allez faire ?

— Cacher la voiture dans la grange. Oh, et au cas où il vous prendrait l'envie de vous enfuir, sachez que je suis un excellent tireur. Je ne rate jamais ma cible.

Puis, avec un sourire moqueur, il la laissa sur le seuil de la cabane et s'éloigna.

Avant de passer ses affaires en revue, l'homme alluma un feu dans un vieux poêle, à l'aide de journaux jaunis et de quelques bûches stockées dans un coin de la pièce principale.

La cabane, nota Joanne, était pour le moins rudimentaire. Une mezzanine abritait quelques bottes de foin, mais l'échelle qui y menait était cassée. En bas, deux lits d'apparence inconfortable, une table, deux chaises et un fauteuil éventré constituaient le seul mobilier. Une étagère abritait quelques boîtes de conserve et des bouteilles d'eau.

Il n'y avait qu'une seule fenêtre, mais les vitres étaient cassées et elle avait été condamnée par de grosses planches. Le seul moyen d'aller et venir était l'unique porte. Sans doute pour éviter qu'ils ne soient repérés, son ravisseur avait mis une couverture devant la porte et une serviette sale devant la fenêtre.

Joanne ne pouvait s'empêcher d'apprécier le feu qui réchauffait un peu l'intérieur de la pièce, et le café que l'homme avait mis à chauffer sur le poêle, et dont la bonne odeur venait lui chatouiller les narines.

— Il n'y a pas de lait, déclara son compagnon en fouillant un placard. En revanche, il y a du sucre.

Il lui tendit une tasse en émail et ajouta :

— Servez-vous.

Joanne obéit en silence. Avec une courbette narquoise, l'homme indiqua le fauteuil.

— Prenez le meilleur siège, ma belle.

— Merci, murmura-t-elle en s'y laissant tomber.

Un petit nuage de poussière s'en échappa, mais elle n'y fit pas attention. Elle s'aperçut en revanche qu'elle portait toujours son bonnet et l'ôta avec irritation. Son geôlier émit aussitôt un son étrange, et elle se tourna vers lui, sourcils levés.

— Quoi ? Qu'est-ce qu'il y a encore ?

— Rien, répondit-il. Mais pourquoi diable cachez-vous vos cheveux ?

Joanne passa une main dans ses cheveux. Quelqu'un lui avait dit un jour qu'ils étaient de la couleur des feuilles de hêtre en automne. Que ce soit vrai ou non, c'était sans doute la partie d'elle-même dont elle était la plus fière, et son seul sujet de vanité.

Avec un haussement d'épaules, elle repoussa sa frange en arrière et répondit :

— Il ne fait pas très chaud, au cas où vous ne l'auriez pas remarqué.

Il détailla un long moment sa silhouette, et Joanne ne put s'empêcher de rougir. Puis il se tourna abruptement et entreprit de vider deux de ses sacs sur la table. Joanne le regarda fouiller méticuleusement ses affaires. Tout y passa : vêtements, trousse de maquillage, livres, et même un sac de bonbons et une boîte de mouchoirs.

Il fit de même avec son sac à main et prit son téléphone portable.

— Ça ne vous servira pas à grand-chose ici. Nous sommes loin de tout réseau.

— Je m'en serais doutée, répondit-elle avec amertume.

L'homme eut un sourire mauvais.

— Vous avez essayé de les contacter après avoir quitté Cunnamulla, n'est-ce pas ? Je pensais qu'ils vous auraient prévenue qu'il était difficile de communiquer, dans le coin. Ou qu'ils vous auraient fourni un téléphone satellite.

Puis il examina sa carte de crédit et lut à haute voix :

— Joanne Lucas.

— C'est moi. Et si vous regardez dans ce petit carnet, là, vous y trouverez aussi mon adresse, le nom de mon médecin, de mon dentiste, et peut-être même de mon plombier et de mon électricien.

L'homme ne répondit pas et se mit à remballer ses affaires. En le voyant replier ses sous-vêtements, elle bondit sur ses pieds, terriblement embarrassée.

— Je m'en occupe !

— Comme vous voudrez.

Il s'éloigna alors de la table et se pencha sur son troisième sac, le plus gros. Il en sortit un chevalet télescopique, des carnets à croquis, des fusains, des crayons.

— Du matériel de peinture ? fit-il en se frottant le menton. Une couverture pour le moins originale, mademoiselle Lucas.

— Vous pouvez croire ce que vous voulez mais, comme je vous l'ai dit plus tôt, j'ai été engagée par Mme Adele Hastings, de Kin Can, pour faire son portrait. C'est la raison de ma présence ici.

— Adele Hastings n'est pas à Kin Can.

Joanne le fixa, déroutée.

— Mais je lui ai parlé il y a quelques jours à peine !

Son compagnon se contenta de hausser les épaules, puis de croiser les bras.

— Et d'abord, reprit Joanne, comment savez-vous qu'elle n'est pas là ?

— Je le sais, c'est tout.

— Qui êtes-vous, au juste ? Un fou ? Un criminel en cavale ?

— Si ça vous arrange.

— Comment ça, si ça m'arrange ? J'essaie juste de comprendre ce qui se passe !

— Et si j'étais un fou ou un criminel, qu'en déduiriez-vous ?

— Je... je dirais que vous avez voulu vous attaquer au ranch, que vous avez été repoussé et que vous avez dû vous enfuir. Vous m'avez prise en otage et vous allez m'utiliser pour...

Joanne s'interrompit en songeant à ce qui se passerait si les choses tournaient mal. Si la police refusait de céder à son chantage, par exemple.

Son ravisseur dut la voir pâlir, car il eut un petit rire narquois.

— Si vous voulez vraiment le savoir, il se trouve que oui, je me suis échappé. Et juste avant de le faire, j'ai entendu vos amis appeler du renfort. Ils ont prononcé le nom de Jo, mais j'ai cru qu'il s'agissait d'un homme. Ils ont ensuite demandé quelle sorte de véhicule leur acolyte utiliserait, et je les ai entendus répéter ce qu'on leur a dit : un Range Rover gris.

Joanne secoua la tête, atterrée.

— Mais c'est... c'est...

— Une coïncidence ? acheva-t-il d'une voix faussement suave. Je ne crois pas, non. Tout comme je ne crois pas un seul instant que le fait que vous ayez emprunté la route d'accès secondaire, à l'arrière du domaine, soit une coïncidence. J'ai entendu ces bandits indiquer ce chemin à leur complice, en dépit du détour important que cela fait faire.

Joanne dut attendre quelques secondes avant de pouvoir enfin parler.

— C'est... Voilà donc pourquoi ça m'a semblé si

loin… Mais qu'est-il arrivé à l'entrée principale ? Je ne l'ai pas vue.

Son compagnon plissa les yeux, puis secoua la tête.

— Vous êtes sacrément douée pour mentir, je dois le reconnaître. Que voulez-vous qu'il soit arrivé à l'entrée principale ? Elle est à sa place !

Joanne sentait la colère monter en elle. La prenait-il pour une idiote ?

— A en croire Mme Hastings, l'entrée principale, la *seule* qu'elle ait mentionnée, aurait dû être au moins cinquante kilomètres avant celle que j'ai fini par emprunter. Elle était censée être bien indiquée. « Vous ne pourrez pas la rater », voilà ce qu'elle m'a dit. « C'est un gros pneu de camion, avec le nom peint en blanc dessus. » Et croyez-moi, je n'ai pas vu le moindre pneu.

Son compagnon l'observa d'un air perplexe, puis enchaîna.

— Et vous avez continué à rouler ? Pendant cinquante kilomètres ?

— Oui ! Mais seulement après avoir essayé de téléphoner au domaine et m'être aperçue qu'il n'y avait pas de réseau. De toute façon, la route était en très bon état, et il fallait bien que je trouve cette entrée !

L'ombre d'un sourire glissa sur les lèvres de son ravisseur, puis disparut aussitôt.

— Quoi qu'il en soit, vous avez raison, ma jolie. J'ai bien l'intention de vous garder comme otage. J'espère que vous valez quelque chose aux yeux de ces types, sinon je ne donne pas cher de votre peau.

Il se leva soudainement et, sans transition, demanda :

— Vous voulez un peu de soupe ? Sinon, il y a une boîte de haricots et une boîte de spaghetti…

Saisie de rage devant ses menaces et son ton désinvolte,

Joanne leva la main pour le gifler, mais il para aisément le coup, et elle se retrouva dans ses bras.

— Eh là, ma jolie, calmez-vous. Vous êtes plutôt athlétique, pour une femme, mais vous ne faites pas le poids.

— Ne m'appelez plus comme ça !

— Je vous appellerai comme j'en ai envie. C'est moi qui ai le fusil, vous vous souvenez ?

Il la relâcha brutalement et Joanne fit un pas en arrière en se massant les poignets. Qu'avait-elle espéré en l'agressant ? C'était ridicule. Ce n'était pas comme ça qu'elle s'évaderait. Elle devait se montrer plus prudente.

— Je pensais à quelque chose, dit-elle après avoir pris une profonde inspiration. Pendant que vous me retenez ici, le vrai Joe, si tant est qu'il existe, est probablement déjà arrivé à Kin Can.

De nouveau, l'inconnu plissa les yeux.

— Nous verrons bien.

— Qui êtes-vous, au juste ? Dites-moi au moins ce qui se passe. Après tout, en tant qu'otage, j'ai bien le droit de savoir dans quoi je me suis fourrée, non ?

Plusieurs expressions passèrent sur le dur mais séduisant visage de son geôlier, parmi lesquelles elle crut de nouveau percevoir de la perplexité, comme s'il n'était plus aussi sûr de son fait. Puis ses traits se figèrent en un masque moqueur.

— Dans quoi vous vous êtes fourrée ? On ne récolte que ce qu'on sème, Jo. Bon, je ne sais pas pour vous, mais pour moi, ce sera des haricots.

*
* *

19

Deux heures plus tard, le silence régnait dans la cabane. Le vent soufflait à l'extérieur. Au plafond, la lueur de l'ampoule paraissait faiblir.

Joanne n'avait pas d'appétit et n'avait mangé que quelques cuillères de haricots, puis elle s'était rendue dans la petite hutte adjacente à la cabane, où se trouvaient les toilettes. Après quoi son ravisseur et elle s'étaient tenus dehors, à scruter la nuit. Elle avait espéré voir des lumières quelque part, signe que quelqu'un venait peut-être à son secours, mais la nuit était opaque et impénétrable. Malgré tout, elle avait fait ce qu'elle avait pu pour essayer de se repérer au cas où elle devrait s'enfuir sans l'aide de personne.

Puis son ravisseur lui avait ordonné de rentrer et d'aller se coucher. Les deux lits étaient placés le long des murs, à angle droit l'un de l'autre. Il n'y avait dessus qu'une couverture grise et un oreiller miteux.

Dans un silence tendu, Joanne ôta son anorak et ses bottines. Elle s'apprêtait à s'allonger lorsque son compagnon l'arrêta.

— Mettez votre pyjama.

— Pour quoi faire ?

— Parce que vous allez dormir.

D'un geste méprisant, elle désigna le matelas.

— Parce que vous appelez ça un lit ?

— C'est tout ce qu'il y a. Il va falloir vous en accommoder.

— Peut-être, mais je serai bien mieux habillée. Il pourrait y avoir des puces, des tiques, ce genre de bestioles.

— Peu importe. Je veux que vous mettiez votre pyjama. Je vais vous le donner.

— Attendez ! s'exclama-t-elle comme il ramassait son sac.

Il s'immobilisa, et Joanne planta ses poings sur ses hanches.

— Si vous croyez que je vais vous laisser jouer les voyeurs pendant que je me mets en pyjama, vous vous trompez !

Il leva un sourcil et l'étudia de la tête aux pieds. A son grand embarras, Joanne s'aperçut que sa posture faisait ressortir ses seins, sur lesquels se fixa le regard de l'inconnu.

— Quelle idée délicieuse ! murmura-t-il. Mais ce n'est pas ce que j'avais en tête. Je vais sortir et attendre dehors pendant que vous vous changez.

— Mais pourquoi voulez-vous que je me change ?

Poussant un profond soupir, il expliqua :

— C'est très simple. Ça diminue les chances que vous alliez battre la campagne. Vous réfléchirez à deux fois avant de vous enfuir en pyjama. A moins que vous n'ayez envie de mourir de froid. Et à propos de froid, ne soyez pas trop longue. On gèle, dehors.

Et, sans attendre sa réponse, il sortit et referma la porte derrière lui.

Joanne crispa la mâchoire, débita tous les jurons qu'elle connaissait, puis comprit qu'elle n'avait pas le choix. Elle sortit donc la plus sobre des deux tenues pour la nuit qu'elle avait apportées, et l'enfila.

— Vous êtes visible ? cria l'homme depuis l'extérieur.

— Oui.

La porte s'ouvrit et il rentra dans la cabane, accompagné d'une bouffée d'air froid qui la fit frissonner. Il l'étudia ensuite une nouvelle fois, avant de faire claquer sa langue d'un air réprobateur.

— Je vois que vous avez gardé votre soutien-gorge. Ça ne va pas vous protéger de grand-chose, si vous voulez mon avis.

Embarrassée, Joanne baissa les yeux sur son pyjama. En coton blanc, il laissait deviner par transparence son soutien-gorge noir. Mais c'était toujours mieux que la chemise de nuit en satin qui se trouvait dans sa valise !

Elle redressa la tête et le fusilla du regard.

— Vous me paierez ça.

— Je serai ravi de voir ça, dit son compagnon en étouffant un bâillement. En attendant, allez vous coucher.

— Et... et vous ? Qu'est-ce que vous allez faire ?

— Je vais monter la garde, voilà ce que je vais faire.

— Si vous osez vous approcher de mon lit..., commença-t-elle.

Mais il l'interrompit aussitôt.

— Ecoutez, quoi que vous pensiez de moi, je ne suis pas un violeur. Je ne fais pas l'amour avec une femme qui n'est pas volontaire. A moins que vous n'aimiez la brutalité ? C'est ce qui vous excite ?

— Vous êtes répugnant, répondit-elle entre ses dents.

Il se mit à rire.

— Je connais beaucoup de femmes qui vous diraient le contraire.

— Ce n'est pas le genre de femmes que je fréquente.

— En effet. Ce sont des femmes honnêtes.

Il lui tourna soudain le dos, ramassa ses bottines, son

22

pantalon de treillis et son anorak et les envoya valser dans la paille, sur la mezzanine.

Joanne aurait voulu crier de rage. Mais elle se mordit la lèvre et, avec une dignité empreinte de raideur, se coucha sur le lit. Quant à son geôlier, il prit place dans le fauteuil, le fusil en travers des genoux.

Elle songea que si elle feignait le sommeil, il relâcherait peut-être sa surveillance. Peut-être même s'endormirait-il. Mais que faire, quand bien même elle arriverait à sortir de la cabane ? C'était en effet lui qui avait les clés de voiture, elle l'avait vu les glisser dans sa poche. De plus, elle ne pourrait pas récupérer ses vêtements et ses bottines sans monter sur une chaise, ce qui le réveillerait à coup sûr. Et sortir dehors en pyjama, pieds nus, c'était, comme il l'avait dit, l'assurance d'attraper une pneumonie.

Mais elle n'était pas obligée de s'enfuir, raisonna-t-elle. Elle pouvait se cacher. Il n'avait pas de torche, et elle pouvait emporter sa couverture...

A la faible lueur du poêle, elle étudia la porte. Il n'y avait pas de serrure, juste un loquet à l'intérieur. Et, se rappela-t-elle avec une soudaine excitation, il y en avait un autre à l'extérieur...

Un plan se forma alors lentement dans son esprit. Elle pouvait sortir, enfermer son ravisseur dans la cabane et se cacher en attendant l'arrivée des secours...

Elle inspira profondément pour se donner de l'assurance, puis s'agita un peu. Le lit craqua, mais l'homme ne bougea pas.

Par prudence, elle décida de patienter encore un moment. Dix minutes plus tard, elle s'assit dans le lit, et attendit. Aucun mouvement du côté du fauteuil. Le poêle était presque éteint, à présent, mais, en laissant ses yeux s'adapter à l'obscurité, elle finit par distinguer son ravisseur. Il était affalé dans le fauteuil, la tête renversée en arrière, un bras pendant par-dessus l'accoudoir.

Le fusil reposait toujours sur ses genoux et elle fut tentée, l'espace d'un instant, de le subtiliser. Mais elle hésita, n'y connaissant rien en armes. S'agissait-il simplement d'appuyer sur la détente ? Fallait-il enlever une sécurité ?

Soudain, l'homme bougea, et elle se pétrifia. Mais il se contenta de se déplacer sur le côté. Sa main vint se poser sur la crosse de son arme. Il murmura ensuite quelque chose d'inintelligible, et le silence retomba.

Joanne resta encore quelques instants immobile, mais décida qu'il était plus sage de ne pas chercher à s'emparer du fusil. Repoussant la couverture, elle se leva et, sur la pointe des pieds, s'approcha de la porte. Tout doucement, elle tira sur le loquet. Celui-ci glissa par miracle sans grincer et...

— Bien tenté, ma belle.

Joanne fit un bond et se retourna. Son ravisseur était debout et pointait son fusil droit sur elle. Comment avait-il pu s'approcher sans qu'elle l'entende ?

— Que... qu'est-ce qui vous a réveillé ? bredouilla-t-elle.

— Je ne sais pas, répondit-il, sarcastique. Une sorte de sixième sens, sans doute. Qu'est-ce que vous espériez faire, au juste ?

Les épaules de Joanne s'affaissèrent comme elle confessait :

— Je ne sais pas. Je ne voulais pas rester sans rien faire, c'est tout.

L'homme hésita et la dévisagea comme pour évaluer

sa sincérité. Une expression étrange passa sur ses traits, puis il tourna les talons, déposa son arme dans un coin et entreprit de fourrer de nouvelles bûches dans le feu.

— Très bien, dit-il enfin à Joanne, restée debout près de la porte. Voilà ce que nous allons faire...

Il tira les deux lits jusqu'à les coller côte à côte.

— ... vous reprenez votre place dans ce lit contre le mur. Et moi, je dormirai dans l'autre.

Elle ouvrit la bouche pour protester, mais il la devança.

— Jo, soupira-t-il, visiblement las, vous n'avez rien à craindre de moi si vous faites ce que je vous dis. En revanche, si vous essayez de vous enfuir, vous découvrirez un aspect moins sympathique de ma personnalité. A présent, si vous voulez bien vous recoucher.

Elle hésita, puis finit par obéir. Quelques minutes plus tard, son compagnon s'allongeait près d'elle sur le second lit. Il lui avait laissé la couverture. Heureusement, car elle grelottait en dépit du feu qui était reparti. Peut-être était-ce le contrecoup nerveux de sa pitoyable tentative d'évasion.

Avec un soupir, elle se contorsionna pour s'emmitoufler le mieux possible. Après quelques minutes, une voix ensommeillée se fit entendre près d'elle.

— Vous aviez raison, on ne peut pas appeler ça des lits. Si vous êtes vraiment Joanne Lucas, peintre de votre état, vous constaterez que les matelas de Kin Can sont beaucoup plus confortables.

— Qu'est-ce que vous en savez ? ne put-elle s'empêcher de demander, malgré sa résolution de ne plus lui adresser la parole.

— Je les ai essayés.

Joanne fronça les sourcils.

— Ces types que vous fuyez... mes supposés acolytes...
Qui sont-ils, au juste ?

— Comme si vous ne le saviez pas.

— Eh bien faites comme si je ne le savais pas, s'il
vous plaît.

— Ce sont des kidnappeurs.

Avec un soupir d'irritation, Joanne se redressa brusquement, rejetant sa couverture en arrière.

— Oh, c'est complètement ridicule ! Pourquoi diable
voudrait-on vous kidnapper ?

Il y eut un court silence, puis l'homme répondit :

— Parce qu'il se trouve que je suis Gavin Hastings,
quatrième du nom.

glisser autour de sa taille tandis qu'une voix chuchotait dans le noir :

— Ce n'est rien. C'est la pluie. C'est une bonne chose.

— La pluie ? On dirait plutôt une mitrailleuse.

— A cause du toit en tôle et de l'absence d'isolation, c'est tout.

Joanne frissonna. Le poêle était éteint, et il faisait très froid.

— Pourquoi dites-vous que c'est une bonne chose ?

— Ça devrait leur compliquer la tâche s'ils nous cherchent encore. Bon sang, on meurt de froid ici.

— Vous pourriez peut-être relancer le feu ?

Un rire lui parvint dans l'obscurité.

— J'ai une meilleure idée. Allongez-vous, mademoiselle Lucas. Car je présume que c'est bien « mademoiselle » ?

Joanne préféra éluder la question.

— C'est quoi, votre idée ?

— Nous nous serrons l'un contre l'autre et nous mettons la couverture sur nous. Partage de la chaleur animale.

— Ça ne fait pas partie de mes projets !

— Eh bien ça fait partie des miens.

Et il l'attira soudain contre lui.

— Je savais que nous en arriverions là, fit-elle d'un ton amer.

— Vous vous trompez, Jo, murmura-t-il tout contre ses cheveux. Je serais curieux de savoir ce que vous avez contre les hommes pour être aussi méfiante.

— Je ne suis pas habituée à partager un lit avec un étranger, et encore moins à y être forcée. Il y a de quoi être méfiante, vous ne croyez pas ?

— Vous devez bien admettre qu'il fait plus chaud comme ça, non ?

29

Il avait raison. Et puis, étrangement, Joanne se sentait plus en sécurité. Etait-ce parce qu'elle savait maintenant qui il était ?

Joanne ouvrit la bouche pour lui poser de nouvelles questions, l'interroger sur ses kidnappeurs, mais le son régulier de sa respiration lui fit comprendre qu'il s'était rendormi.

Et après tout, c'était sans doute mieux ainsi. Assoupi, il était moins dangereux.

Elle se dégagea précautionneusement et regagna son lit, tentant de s'éloigner le plus possible de lui tout en continuant de partager la couverture.

Il ne bougea pas d'un pouce.

L'aube pointait à peine lorsque Gavin Hastings se réveilla. Il s'agita un peu, les yeux toujours fermés, puis fronça les sourcils. Des cheveux lui caressaient la joue, des cheveux soyeux et délicatement parfumés à...

A quoi, au juste ?

Pour une raison qu'il ignorait, il eut soudain la vision d'une bouteille de shampooing, une bouteille de plastique transparent décorée de pommes et de poires et emplie d'un liquide vert... Bien sûr ! Il l'avait vue dans les affaires de Joanne Lucas. C'étaient ses cheveux qu'il sentait !

Il ouvrit enfin les yeux. La jeune femme dormait paisiblement dans ses bras. Son corps, contre le sien, était souple et chaud. Elle était lovée tout contre lui, et il se rendit compte qu'il avait intérêt à s'en détacher au plus vite s'il ne voulait pas se retrouver dans une situation très embarrassante.

Mais lorsqu'il voulut s'éloigner d'elle, elle émit un

petit soupir de protestation et blottit sa tête contre son épaule.

Un sourire amusé étira les lèvres de Gavin. « Vous allez me détester quand je vais mentionner ça, Jo... Et c'est ce que je ferai si vous montez encore sur vos grands chevaux... Je sais que je ne pourrai pas m'en empêcher. »

Son amusement disparut lorsqu'il baissa les yeux sur la jeune femme endormie dans ses bras. Son parfum ainsi que le contact de sa peau enivraient ses sens. Il ne put s'empêcher de repenser au moment où elle s'était penchée sur le capot de sa voiture pour qu'il la fouille. Il avait été troublé par ses longues jambes, ses fesses rondes et fermes, il devait le reconnaître...

Gavin secoua la tête pour ramener son esprit à l'instant présent. Puis il sortit du lit et s'étira.

Lorsqu'il se retourna, la jeune femme avait ouvert les yeux et l'observait d'un air ébahi.

— Bonjour, mademoiselle Lucas.

La jeune femme resta allongée pendant un bon moment, puis elle s'assit abruptement en essayant de se recoiffer avec les doigts.

— Bonjour.

— Vous avez bien dormi ? demanda Gavin avec une pointe d'ironie.

— Je... je crois. Je ne me souviens plus de rien.

— Tant mieux.

Il attendit que la remarque fasse son effet et, lorsqu'il la vit froncer les sourcils, changea de sujet.

— Vous avez sans doute remarqué qu'il pleuvait toujours. Je vais vous emprunter votre parapluie pour partir en reco.

— Pardon ?

— En reconnaissance. Pendant ce temps-là, vous pourrez faire ce que vous voulez.

— Ce que je veux ?

— Oui. Faire votre toilette, par exemple.

Le regard de la jeune femme s'assombrit, et il comprit qu'elle aurait aimé lui rétorquer de la laisser en paix, mais dans un langage plus haut en couleur... Elle garda cependant le silence et se leva.

— Tenez, dit-il en lui lançant son anorak, mu par une soudaine compassion. Mettez ça.

Elle obéit mais refusa de le regarder, même lorsqu'il lui ramena le reste de ses affaires.

Quinze minutes plus tard, Joanne était seule dans la cabane, enfermée de l'extérieur. Dieu merci, son compagnon avait relancé le poêle, ce qui lui avait permis de préparer du café et de faire chauffer de l'eau pour sa toilette.

Elle se sentit mieux dès qu'elle se fut débarbouillée et qu'elle eut passé un jean propre et une laine polaire grise. Elle se brossa ensuite les cheveux et les attacha en queue-de-cheval, en imaginant Gavin en train d'explorer les environs sous une pluie battante. Il avait emprunté son parapluie et son poncho, mais ils ne lui seraient que de peu d'utilité face à une telle averse.

Sa remarque sur le fait qu'il valait mieux qu'elle ne se souvienne pas de sa nuit la tracassait. Qu'avait-il voulu dire, exactement ? Il n'avait pas pu profiter d'elle sans la réveiller, c'était impossible. Ou était-ce elle qui s'était montrée, dans son sommeil, un peu trop tendre ?

Joanne étudia les deux lits : un seul des matelas présentait une dépression... Elle avait dû passer la nuit dans ses bras... Pire encore, c'était du côté de Gavin que le matelas était enfoncé, ce qui signifiait que c'était elle qui s'était déplacée. Elle avait sans doute eu froid au milieu de la nuit et s'était réfugiée contre lui. C'était impardonnable et stupide de sa part.

Le café se mit à frémir, et elle s'en servit une tasse. Inutile de ressasser ce qu'elle ne pouvait plus changer. Soudain, son idée de faire un portrait de Gavin lui revint. Après ça, il la croirait peut-être enfin ?

Pendant longtemps, Joanne avait davantage dessiné que peint. Ni l'aquarelle ni la peinture à l'huile ne lui avaient réussi. Puis, à dix-huit ans, elle avait découvert les crayons à l'huile, et avait eu une révélation : son échec dans le domaine de la peinture ne venait pas d'un manque de talent de sa part, mais d'une difficulté à passer du crayon au pinceau.

Les crayons à huile avaient tout résolu. Depuis, elle n'avait pas cessé d'utiliser cette technique. A vingt-quatre ans, elle était déjà une portraitiste réputée.

L'art du portrait n'était pas sans inconvénients. Il lui arrivait souvent de travailler pour des personnalités assez peu aimables, et l'envie la démangeait parfois de les croquer telles qu'elles étaient vraiment. Mais elle savait que c'était une étape nécessaire pour acquérir une indépendance financière. Plus tard, elle pourrait se consacrer à ce qu'elle aimait dessiner, les paysages et les enfants. Même si elle dessinait rarement ces derniers comme leurs parents l'auraient souhaité.

Joanne ferma les yeux, prit quelques longues inspirations et invoqua mentalement l'image de son ravisseur.

Comme d'habitude, cet exercice provoqua en elle une multitude d'émotions. Mais elle fut surprise par la diversité et par la force de celles que faisait naître le visage de Gavin Hastings.

Ses doigts s'agitèrent, et elle dut résister au plaisir de représenter celui-ci sous la forme d'un démon... Après tout, elle ne pouvait pas lui en vouloir de la façon dont il l'avait traitée, se raisonna-t-elle : il avait été victime d'une tentative de kidnapping !

Peut-être, mais cela n'excusait pas ses manières brutales.

Elle baissa les yeux sur son carnet, et fut irritée de constater que sa respiration s'était accélérée, simplement en pensant à Gavin Hastings. Avec un regain de détermination, elle décida de se mettre au travail.

Joanne n'aurait su dire combien de temps s'était écoulé lorsqu'elle entendit, de l'autre côté de la porte, le loquet coulisser. Par réflexe, elle posa son anorak sur son dessin pour le dissimuler.

Gavin rentra et referma la porte derrière lui. Il paraissait d'une humeur massacrante, ce qui s'expliquait peut-être par le fait qu'il était trempé de la tête aux pieds...

— Ça va ? ne put-elle s'empêcher de demander.

— Vous vous inquiétiez pour moi ? railla-t-il. Je vais bien, merci. Mettez de l'eau à chauffer.

Joanne ouvrit la bouche pour lui reprocher ses manières, puis se tut en le voyant commencer de se déshabiller.

— Euh... qu'est-il arrivé à mon poncho et à mon parapluie ?

— Ils ne me servaient à rien. J'ai préféré les jeter.

Elle écouta un instant la pluie qui martelait le toit, puis haussa les épaules.

— C'est vrai qu'ils ne sont pas prévus pour une pluie pareille.

Elle faillit se détourner lorsqu'il ôta son pantalon, puis se reprit. Il était inutile de faire preuve d'une pudeur excessive dans de pareilles circonstances.

34

Joanne prit donc la couverture et la lui tendit.

— Tenez.

Il la prit sans un mot et s'en enveloppa. Il darda sur Joanne un regard hostile, qu'elle soutint sans ciller.

— Ecoutez, s'emporta-t-elle, ce n'est tout de même pas ma faute si nous sommes dans cette situation. Alors inutile d'être en colère contre moi. C'est parfaitement contre-productif.

— Vraiment ?

Son compagnon s'assit, puis poursuivit avec humeur :

— Et vous, qu'est-ce que vous avez fait de productif en mon absence ?

Elle serra les dents et ne répondit pas.

— Bon, reprit-il. Je vais vous dire ce que *moi* j'ai fait, alors. Je suis parti en reconnaissance sur mes propres terres, j'ai volé ma propre essence, que j'ai ensuite dû porter jusqu'ici. Et pendant ce temps-là...

Son regard glissa sur la boîte de crayons qui dépassait de sous l'anorak. Il dégagea le carnet de croquis.

— Je n'arrive pas à y croire ! Vous avez peint ?

— Ce n'est pas de la peinture. Je n'utilise que des crayons et...

— Peu importe.

Il étudia son portrait, cligna une seule fois des yeux mais ne fit aucun commentaire sur ce qu'il en pensait.

— Vous pensiez me convaincre que votre histoire était vraie ? ironisa-t-il.

— Je... je l'espérais, oui.

— Eh bien vous vous êtes trompée. Pourquoi m'avez-vous représenté endormi ?

Joanne rougit. Elle pouvait difficilement lui avouer

que c'était le moment où elle l'avait trouvé le plus séduisant.

— Je... C'est une de mes habitudes. J'aime ça.

— Comme de vous blottir dans les bras d'hommes que vous ne connaissez pas ?

— J'étais endormie ! protesta-t-elle, indignée. J'ai dû bouger dans mon sommeil. Mais croyez-moi, je n'en avais pas conscience, et je ne m'en souviens pas du tout. Je devais avoir froid.

Il soutint son regard pendant un moment, puis haussa les épaules.

— Il se trouve que c'était très agréable. A présent, verriez-vous un inconvénient à me prêter le rasoir jetable que j'ai vu dans votre trousse de toilette ? Je serai sans doute de meilleure humeur après m'être rasé. Vous n'auriez pas un miroir, tant que nous y sommes ?

Joanne lui fournit ce qu'il lui avait demandé. Le miroir était minuscule mais il s'en servit malgré tout. Puis, Gavin sourit à son reflet.

— Votre rasoir est parfait, déclara-t-il. Il est neuf ?

— Il l'était.

Il se mit à rire.

— Je crois que vous pouvez en effet le jeter, maintenant. Il n'est plus bon à rien.

Gavin passa ensuite la main sur sa joue, fit la grimace et reprit :

— Vous n'auriez pas d'après-rasage par hasard ?

— Que voulez-vous que je fasse avec de l'après-rasage ? Bien sûr que non, je n'en ai pas. En revanche, j'ai ça...

Et elle tira une bouteille de ses affaires de toilette.

— Emulsion au beurre de karité, lut-il. Qu'est-ce que c'est que ce truc ?

36

— Ce « truc » est un produit naturel qui apaisera le feu du rasoir.

Visiblement dubitatif, son compagnon en versa une noix dans sa paume, frotta ses deux mains et les passa sur ses joues. Un sourire surpris apparut sur ses lèvres.

— Mais c'est vrai ! Vous êtes une femme pleine de ressources.

Il posa sur elle un regard radouci, presque appréciateur, et Joanne fit de son mieux pour ne pas rougir.

— Vous êtes bien mystérieuse, Jo, murmura son compagnon.

Avec un haussement d'épaules, elle s'employa à débarrasser la table et tenta de ramener la conversation vers un terrain moins glissant.

— Vous avez parlé d'essence ?

Il sourit, comme s'il n'était pas dupe de ce soudain changement de sujet, mais acquiesça.

— En effet. J'en ai trouvé.

— Où ? Vous êtes retourné au ranch ?

— Non. Il y a un dépôt pour les machines pas loin d'ici.

— Alors… Ça veut dire que nous pouvons partir ?

— Non. Il y a un cours d'eau entre la route et nous. Normalement, il est à sec. Mais avec ces orages, même un 4 x 4 ne pourrait pas le franchir.

Joanne servit deux nouvelles tasses de café. Elle gardait les yeux baissés pour ne pas voir le torse musclé de Gavin, sa peau hâlée, ses épaules larges… qui apparaissaient sous la couverture.

— Il y a quelque chose que je ne comprends pas. Vous étiez seul au ranch quand ils ont voulu vous kidnapper ?

— Non. Le contremaître était là lui aussi. Ils l'ont neutralisé avant moi.

— Vous voulez dire que…

— Non, la rassura-t-il aussitôt. Il a juste reçu un coup sur la tête.

— Et il n'y avait personne d'autre ? s'enquit Joanne avec un froncement de sourcils. Aucun membre de votre famille ?

— Non. Comme c'est un week-end de pont, tout le monde en a profité pour partir. J'avais prévu de le faire, moi aussi, mais j'ai changé d'avis à la dernière minute.

— Et votre mère ?

— Elle est partie depuis deux jours à Brisbane, expliqua-t-il, portant sa tasse de café à ses lèvres. Une chance qu'elle n'ait pas été là. Ni Rosie, d'ailleurs.

Joanne fronça les sourcils et posa la question qui lui brûlait les lèvres.

— Elle a mentionné une Rosie à plusieurs reprises, au téléphone. J'ai compris que c'était une enfant. Mais qui est-ce ?

Il la fixa pendant un long moment, et déclara enfin :

— C'est ma fille.

Joanne digéra l'information en silence.

— Et… votre femme ?

— Elle est morte en couches, répondit-il, reposant sa tasse vide.

— Je… je suis désolée.

Il y eut un nouveau silence. Elle hésita, puis reprit :

— Est-ce que votre mère ne serait pas un peu… tête en l'air ?

Son compagnon leva les yeux au ciel.

38

— Si. Sa mémoire est une vraie passoire.

— Ça explique tout...

— Vous voulez dire qu'elle a oublié que vous deviez arriver ?

— Oui.

— Ça n'explique pas qu'elle ne m'ait pas parlé de ce portrait.

— Peut-être qu'elle voulait vous faire une surprise ?

— Et comment aurait-elle expliqué votre présence au ranch, si le tableau était censé être une surprise ?

— Je ne sais pas. C'est *votre* mère, pas la mienne.

D'un geste las, Gavin se passa les deux mains sur le visage et soupira.

— Evidemment... Vous n'auriez pas des vêtements d'homme dans votre valise, par hasard ? interrogea-t-il en resserrant la couverture autour de ses épaules.

Joanne le fixa avec dureté.

— Hum, si vous pouviez tuer du regard, mademoiselle Lucas, je serais mort et enterré... Bon, à supposer que vous soyez innocente et que vous soyez bien celle que vous prétendez être, avez-vous des suggestions à faire ?

Joanne ravala une repartie cinglante qui, elle le savait, ne les avancerait à rien.

— Combien sont-ils ? préféra-t-elle demander.

— Deux. Ils ont des passe-montagnes sur le visage, je ne sais pas qui ils sont.

— Comment vous êtes-vous échappé ?

— Vous m'interrogez ?

— Et pourquoi pas ? Vous prétendez être Gavin Hastings, mais je ne sais rien de vous.

Il réfléchit pendant quelques secondes, et fit la grimace avant de déclarer :

— Ils m'ont attaché et m'ont enfermé dans une pièce du rez-de-chaussée. Ce qu'ils ignoraient, c'est qu'il y avait une trappe sous le lino. La maison est construite sur pilotis pour la protéger des inondations. Je me suis échappé par là.

— Je croyais que vous étiez attaché ?

Il se frotta les poignets et, pour la première fois, Joanne remarqua des traces rouges sur sa peau.

— J'ai trouvé une vieille paire de ciseaux et j'ai réussi à trancher mes liens. Ça n'a pas été facile.

— J'imagine... Mais pourquoi ne vous ont-ils pas emmené tout de suite ? Pourquoi vous ont-ils gardé dans la maison ?

— Excellente question. Voyez-vous, il se trouve que je n'étais pas leur cible.

— Qui visaient-ils, alors ?

— Ma fille. Une enfant de six ans. Une cible bien plus facile.

Joanne écarquilla les yeux et le dévisagea, bouche bée.

— Je ne vous le fais pas dire, fit-il d'un air amusé.

— Mais... vous êtes sûr ?

— Oui. Je les ai entendus parler et se disputer toute la nuit. Ils ont décidé de m'emmener à la place de Rosie, et c'est la raison pour laquelle ils ont appelé du renfort.

— Heureusement que votre mère est partie avec elle ! s'exclama la jeune femme d'une voix tremblante.

— En effet. Mais je dois maintenant les prévenir, elle et Rosie, de ne pas rentrer à Kin Can. Et je n'ai pas pu le faire parce que ces salauds ont coupé toutes les lignes

40

de téléphone. Et comme vous le savez, les portables ne passent pas.

— Mais j'y pense… Cela n'a rien à voir avec l'évasion, mais ils ont dû enlever le pneu qui marque l'entrée de Kin Can. Ils voulaient sans doute éviter les visites.

Gavin fronça les sourcils.

— C'est pour ça que vous m'avez trouvée sur la piste de service, insista-t-elle.

— Hum, vous avez peut-être raison… Mon problème, à présent, est de savoir s'ils ont abandonné ou non. Ils nous ont peut-être tendu un piège quelque part.

— A vous entendre, ils n'ont pas l'air très bien organisés…

Gavin se leva soudain, laissa tomber la couverture de ses épaules et récupéra les vêtements qu'il avait mis à sécher près du poêle.

— Mal organisés, mais dangereux tout de même. Et si le dénommé Joe les a rejoints, ils sont trois.

Joanne frissonna en le voyant enfiler son jean et son T-shirt humide, puis demanda :

— Est-ce qu'ils ont fait preuve de violence à votre égard ?

Son compagnon eut un sourire amer et répondit :

— Un coup de pied dans les reins et un coup de crosse sur la tête. J'ai toujours une bosse, je crois, ajouta-t-il en passant une main dans ses cheveux. Mais je dois avouer que je les ai provoqués…

— Vous ne vous êtes pas laissé faire, n'est-ce pas ?

— C'est le moins qu'on puisse dire.

Quelque chose dans sa façon de répondre fit frissonner Joanne. Il n'était sans doute pas prudent de contrarier un homme tel que Gavin Hastings…

— Vous connaissez la suite, poursuivit-il. Comme ils

ont crevé les pneus de tous les véhicules disponibles, j'ai marché jusqu'à la route. Juste avant de partir, je suis tombé sur le fusil par le plus grand des hasards. Le contremaître l'avait oublié dans un coin.

— Votre plan était donc d'intercepter l'autre Joe et…

— … et de le forcer à me conduire à la ville la plus proche.

Joanne vit qu'il la dévisageait de nouveau avec suspicion. Elle soupira :

— Rien de plus courant qu'un Range Rover gris.

— Sans doute… Et votre prénom ? Jo ?

Elle hésita, puis haussa les épaules.

— Je…

Un coup de feu claqua soudain et, dans une pluie de sciure, une balle traversa la porte pour aller se loger dans le mur opposé.

Ils restèrent tétanisés l'espace d'une seconde, puis Gavin Hastings bondit sur Joanne et la plaqua au sol, tandis qu'une seconde balle traversait le mur.

La porte s'ouvrit soudain en grand, presque arrachée de ses gonds par un coup de pied, et un homme au visage dissimulé derrière une cagoule entra, un fusil à la main.

— Eh, Joe ! ricana-t-il par-dessus son épaule. Viens voir, Gavin s'est trouvé une poulette ! Ils sont mignons tous les deux, vous trouvez pas, les gars ?

3.

Les quelques heures qui suivirent furent cauchemar-desques.

Ils furent ligotés puis embarqués à bord d'un véhicule semblable au Range Rover de Joanne. Cette dernière aurait dû se réjouir de cette preuve criante de son innocence, mais la situation était bien trop grave pour cela.

Elle ne songea pas davantage à se maudire pour sa stupidité lorsque les agresseurs prirent le fusil de Gavin et découvrirent qu'il était vide.

La situation se compliqua encore lorsqu'ils atteignirent la rivière en crue et que les kidnappeurs s'aperçurent qu'ils ne pouvaient pas la traverser. Une vive dispute s'ensuivit, à l'issue de laquelle ils décidèrent de regagner le ranch en attendant que la pluie s'arrête.

Malheureusement, leur véhicule s'embourba à cinq cents mètres de la maison. Joanne et Gavin en furent alors extirpés, détachés, et deux des ravisseurs les firent marcher jusqu'à la bâtisse pendant que le troisième essayait de désembourber la voiture.

Les premières impressions que Joanne eut de Kin Can furent quelque peu parasitées par la pluie et la peur. Tout ce qu'elle put voir, c'est que c'était une imposante demeure.

Comme ils atteignaient les marches du perron, un nouvel incident éclata lorsque l'un des ravisseurs la prit par le bras et voulut l'embrasser. Gavin frappa alors l'homme en pleine figure avec ses deux points liés. Le second kidnappeur répliqua en projetant Gavin à terre.

Finalement, ils furent traînés à l'intérieur. Malgré la peur, Joanne ne put s'empêcher d'admirer l'immense espace intérieur, la beauté des volumes, la décoration et les œuvres fixées aux murs. Kin Can respirait le luxe et l'opulence.

Après une nouvelle discussion animée, les ravisseurs les enfermèrent dans une chambre. Par précaution, ils les attachèrent ensemble avec une paire de menottes.

— Essayez de vous débarrasser de ça, lança l'un d'eux, en les poussant vers le lit avec rudesse.

Il fallut un bon moment à Joanne pour retrouver son souffle. Elle se redressa enfin et constata que Gavin avait les yeux fermés.

— Ça va ? demanda-t-elle, espérant qu'il n'était pas assommé.

— Pas trop mal. Et vous ?

Avec un soupir, Joanne leva le bras, entraînant celui de Gavin, pour étudier la chaîne métallique qui les reliait.

— Tout cela est ridicule...

— Oui. On se croirait dans un mauvais film policier.

Avec effort, il se redressa.

— Avant tout, Mademoiselle Lucas, j'aimerais vous présenter mes excuses.

Joanne ouvrit la bouche pour répondre, mais elle préféra sourire pour lui montrer qu'elle ne lui en voulait pas.

— Vous êtes très compréhensive, observa son

compagnon. J'aurais compris que vous me traitiez de tous les noms.

— Je n'ai pas encore dit que je vous pardonnais.

— J'ai cru, pourtant. A cause de votre sourire.

— J'ai souri parce que je trouvais que, bien rasé, vous étiez plutôt mignon. Mais ce n'est plus le cas...

— Mignon ? répéta-t-il, visiblement horrifié par le terme qu'elle avait employé.

— Oui, confirma-t-elle.

— Et qu'est-ce qui ne va plus ?

— Eh bien, vous avez un magnifique œil au beurre noir. Mais je vous suis reconnaissante d'avoir volé à mon secours.

— J'espère bien, grommela-t-il en tâtant, du bout des doigts, les contours de son œil.

— Qu'est-ce que... Qu'est-ce que nous allons faire maintenant ?

— Eh bien, analysons la situation le plus calmement possible. Il me semble discerner une touche de panique chez nos agresseurs. Qu'en pensez-vous ?

— Je suis d'accord. Il m'a semblé que le plus grand des trois avait davantage la tête sur les épaules. Peut-être que nous pourrions le raisonner ?

— Comment ?

— En leur rappelant que vous ne connaissez pas leur identité, et qu'ils ont tout intérêt à déguerpir et à se faire oublier. Que personne ne les ennuiera si les choses en restent là.

— J'y ai pensé. J'ai même songé à leur donner un peu d'argent. C'est contre mes principes, mais...

Il s'interrompit comme des éclats de voix se faisaient entendre au rez-de-chaussée.

— On dirait que nos charmants amis se disputent, chuchota-t-il.

Joanne frissonna. Il lui sourit et reprit :

— Je vous passerais bien le bras autour des épaules mais c'est difficile. L'intention y est, en tout cas.

Elle ne put s'empêcher de sourire, et il enchaîna.

— Ah ! J'aime mieux ça. Venez, il est temps de parlementer.

Il se leva, l'entraînant avec lui, et se mit à tambouriner à la porte. Après quelques instants, le plus grand des ravisseurs vint ouvrir.

Dix minutes plus tard, l'individu cagoulé ressortait en fermant la porte à clé derrière lui.

— Vous croyez que ça a marché ? fit Gavin.

Leur ravisseur leur avait en effet promis de s'entretenir avec ses « collègues ».

— Je ne sais pas. Nous verrons bien, murmura Joanne, dont les épaules s'affaissèrent sous l'effet d'un soudain découragement.

— Vous avez été merveilleuse, lui confia son compagnon, plongeant ses yeux dans les siens. Beaucoup auraient cédé à la panique dans ce genre de situation.

Il lui sourit.

— A présent, nous ferions bien de nous mettre à l'aise.

Ils se réinstallèrent côte à côte sur le lit. Une fois confortablement installée contre les oreillers, Joanne déclara avec un pâle sourire :

— Les lits sont bien plus confortables, ici.

— Ma mère a des idées très arrêtées en matière de luxe. Elle veut ce qu'il y a de mieux.

Joanne regarda autour d'elle. La chambre, sans doute une chambre d'amis, n'était pas très grande mais très bien décorée. Les murs étaient peints dans un bleu pâle et délicat. Au plafond, les moulures étaient d'un blanc immaculé. Des meubles de bois cérusé, aux poignées de bronze massif, ornaient la pièce. Des volets à demi tirés, bleus eux aussi, protégeaient les fenêtres.

— Pas de trappe dans le plancher, cette fois ? demanda-t-elle avec une ironie mêlée de désespoir.

— Non. Et rien qui puisse nous aider.

— Nous n'avons même pas cherché !

— C'est inutile. La chambre a été entièrement vidée avant d'être redécorée.

— Oh...

Son compagnon se tourna vers elle et l'étudia quelques instants avant de déclarer :

— Je suis désolé de vous avoir entraînée dans cette histoire.

— Je suis arrivée au mauvais moment, c'est tout.

Joanne se tut en entendant de nouveaux éclats de voix. Gavin tendit lui aussi l'oreille, puis prit la main menottée de Joanne dans la sienne.

— Parlez-moi un peu de vous, dit-il.

— Je...

Elle dut faire un effort pour ignorer les cris qui leur parvenaient.

— Je suis orpheline, reprit-elle. Mes parents sont morts dans un accident de train quand j'avais six ans. Ma grand-mère maternelle m'a prise chez elle, mais elle a développé la maladie d'Alzheimer lorsque j'avais douze ans. A partir de là, je suis passée de famille d'accueil en famille d'accueil. Et ma grand-mère est morte quand j'avais quinze ans.

Gavin serra sa main.

— L'histoire s'est plutôt bien terminée, poursuivit-elle. Mon père était brouillé avec son propre père, et nous n'avions aucun contact avec le reste de notre famille, qui vivait au Canada. Mais la mère de mon père, apparemment, a fait tout ce qu'elle a pu pour retrouver son fils. Et elle l'a couché sur son testament. Après la mort de ma grand-mère, les avocats ont mis six ans à me trouver. J'avais dix-huit ans à l'époque. J'ai touché un peu d'argent, ce qui m'a permis de faire des études et de me lancer dans la vie.

— C'est ce que j'appelle une histoire tourmentée... Ce doit être un peu traumatisant, non ?

— On s'y fait. On devient philosophe.

— Et ça n'a pas laissé de trace ?

Joanne hésita, puis tressaillit en entendant un bruit de verre brisé. Peut-être à cause de la situation étrange dans laquelle elle se trouvait, elle éprouvait le besoin de se confier.

— Disons que j'ai du mal à faire confiance aux autres. Mais ce n'est pas vraiment un problème. Je me débrouille très bien toute seule.

— Vous êtes une solitaire.

— Oui. Et j'aime ça.

— Mais vous avez des amis ?

— Bien sûr. Ma colocataire, Leanne Thomson, est une amie d'enfance. Je suis également en contact régulier avec deux de mes familles d'accueil et certains de mes professeurs.

— Et du côté sentimental ?

Joanne ouvrit la bouche, puis la referma. Elle fixa un instant le plafond. Même dans ces circonstances particulières, il y avait tout de même des choses qu'elle n'était pas censée dire, non ?

— Je ne suis pas très douée pour les histoires d'amour, confessa-t-elle enfin, presque malgré elle. Les hommes semblent me trouver... Comment dire ? Trop indépendante. Je me suis bien crue amoureuse une ou deux fois, mais ça n'a rien donné.

— Vous...

Il s'interrompit : un nouveau fracas venait de se faire entendre, suivi d'un coup de feu et de cris furieux.

Joanne ferma les yeux et se mit à trembler. Elle enfouit son visage contre l'épaule de Gavin. De sa main libre, il lui caressa les cheveux, mais sa tension et sa colère étaient perceptibles.

— Parlez-moi de vous, souffla-t-elle.

— Moi ? Eh bien, je pensais mener une vie parfaite. J'ai hérité de Kin Can, j'ai épousé la fille de mes rêves, nous avons fait un enfant, puis tout s'est effondré à cause d'une faiblesse cardiaque que personne n'avait diagnostiquée et qui a emporté ma femme.

— Je suis désolée...

Joanne s'agrippa à lui comme un nouveau coup de feu retentissait, suivi de deux chocs sourds. C'était à croire que leurs ravisseurs saccageaient la maison.

— Continuez...

— Il n'y a pas grand-chose de plus à dire. Rosie est toute ma vie, je me vois mal me remarier et... Vous croyez que ces types sont en train de s'entretuer ?

— Je l'espère. Mais pourquoi ne voulez-vous pas vous remarier ?

— Je crois que, une fois qu'on a connu le bonheur, il est très difficile de reconstruire quelque chose. Je me connais assez pour savoir que je comparerai toute nouvelle relation avec ce que j'ai déjà vécu. Je suppose qu'une partie de moi ne pardonnera jamais au destin ce qu'il m'a infligé. Je suis mauvais perdant.

— Vous avez des amis ?

Gavin fit la grimace.

— Oui. Tous mariés et décidés à jouer les entremetteurs, ce qui fait que je me méfie d'eux. Mais il se trouve que mon meilleur ami est marié avec ma sœur, ce qui en fait mon beau-frère.

Joanne ouvrit la bouche mais la referma aussitôt. Le vacarme s'était déplacé à l'extérieur de la maison, et avait redoublé.

— Qu'est-ce que vous aimez dans la vie, Jo ? Je veux dire, à part dessiner ?

Il marqua une pause et sourit.

— Moi, reprit-il enfin, j'aime les côtes de bœuf. J'adore mes chiens, la bière bien fraîche lorsqu'il fait chaud, et Nicole Kidman.

Amusée par cette énumération, Joanne ne put retenir un sourire.

— Pour ma part, déclara-t-elle, ce serait plutôt Hugh Grant et George Clooney. J'aime aussi le chocolat et, bien sûr, le dessin.

— Vous avez un sujet de prédilection ?

— Oui. Les enfants.

— Vraiment ? s'étonna-t-il. Et vous arrivez à les faire poser ?

— En général, oui. Et si vous les faites parler, ils racontent des choses extraordinaires. Ils ont beaucoup à nous apprendre.

De nouveau, Gavin lui serra la main. Les bruits semblèrent se rapprocher de leur porte, et il fronça les sourcils.

50

— Je crois qu'il est temps de me rappeler que je suis un mauvais perdant. Je viens d'avoir une idée pour nous sortir de là. Pourquoi diable n'y ai-je pas pensé plus tôt ?

— A quoi ?

Son compagnon leva les yeux vers le plafond et Joanne suivit son regard.

— Je ne vois rien.

Il pointa le doigt vers un angle, et elle finit par discerner une ligne presque imperceptible dans le plâtre blanc.

— Ça mène aux combles.

— Mais nous n'arriverons jamais à y monter ! Surtout menottés.

— Si, c'est possible. Tout ce que nous avons à faire, c'est mettre la commode dessous et grimper. Si vous suivez mes ordres, tout ira bien.

Elle le fixa, puis souffla sur sa frange.

— Vos ordres ? répéta-t-elle en souriant.

— Disons plutôt mes instructions.

— Oui, je préfère. Mais en admettant que nous réussissions, et que nous puissions nous glisser dans le grenier, ils vont nous entendre nous déplacer, non ? Et s'ils acceptent votre offre ?

Gavin se frotta la joue d'un air pensif.

— Vous avez raison. Nous n'utiliserons cette solution qu'en cas d'absolue nécessité.

Il leva soudain la main. Des bruits de pas se rapprochaient de la chambre.

— Ecoutez... Quoi qu'il arrive, je veux que vous fassiez exactement ce que je vous dis. Compris ?

Elle déglutit, puis acquiesça.

— Il semble que nos ravisseurs n'aient qu'un fusil. Ne quittez pas des yeux celui qui le tiendra.

Elle acquiesça de nouveau, et la porte s'ouvrit. Seuls deux des ravisseurs entrèrent. Le troisième — celui avec lequel ils avaient essayé de négocier — n'était nulle part en vue, et ce n'était pas bon signe. Avait-il été tué en tentant de convaincre les deux autres de négocier ?

— Eh bien, Gavin, fit l'un des deux, celui qui avait fait irruption le premier dans la cabane, combien de liquide as-tu ?

Joanne poussa un léger soupir de soulagement, mais sentit son compagnon se crisper. Ce fut cependant d'une voix posée qu'il répondit.

— Environ trois mille dollars.

— Montre-nous ça !

Cinq minutes plus tard, ils pénétraient tous les quatre dans ce qui était à l'évidence le bureau de Gavin. Là, ce dernier ouvrit un meuble bas et en sortit une boîte en métal d'où il tira l'argent, qu'il déposa sur l'imposant bureau de chêne.

Les ravisseurs comptèrent l'argent en silence. Puis, celui qui semblait être le chef empocha les billets. Son complice paraissait avoir du mal à rester debout.

— C'est bon. Tendez les mains.

Inquiets, Joanne et Gavin s'exécutèrent. Leur kidnappeur les détacha mais, au lieu de s'en réjouir, Joanne eut un frisson d'inquiétude. A travers son passe-montagne, les yeux de l'homme brillaient d'une lueur folle et terrifiante, presque d'une joie perverse.

Elle ne tarda guère à constater que son instinct ne l'avait pas trompée. Après quelques secondes, l'homme leva son fusil et le pointa droit sur elle.

— Tu vois, Gavin, on a décidé qu'il n'y avait pas

de raison que tu sois le seul à avoir une part de ce joli gâteau. Alors on prend la dame avec nous. Et tu ferais bien de ne pas essayer de nous en empêcher. Sinon, c'est elle qui déguste.

Il y eut un instant de silence complet, comme si le temps s'était arrêté. Puis Gavin bondit sur l'homme qui venait de parler. Il bouscula Joanne au passage, qui s'effondra sur le deuxième agresseur, le faisant chuter.

Un coup de feu partit.

Avec un cri, Joanne attrapa une petite statuette en marbre et en frappa le crâne de l'homme qui essayait de se relever. Elle le toucha à la tempe et il retomba comme une masse, inerte.

Elle se tourna alors vers Gavin, en train de lutter avec l'autre homme. Au moment où elle se relevait pour tenter de l'aider, son compagnon décocha un coup de poing d'une violence inouïe à son adversaire. Ce dernier tomba à son tour, assommé.

Haletante, Joanne abaissa lentement son bras, laissant la statuette de marbre rouler à terre. Soudain, elle vit du sang sur les doigts de son compagnon.

— Oh mon Dieu ! Vous êtes blessé !

— Ce n'est rien. La balle a dû traverser la chair, dit-il en palpant le haut de son bras et en grimaçant.

— Vous m'avez sauvé la vie ! s'écria-t-elle. Vous vous êtes jeté sur lui et... Mon Dieu, comment pourrai-je jamais vous remercier ? Et si vous mourez ?

Joanne était pâle et tremblante, au bord de l'hystérie. Gavin lui adressa un sourire apaisant.

— Je ne vais pas mourir, assura-t-il.

Puis il retira son pull-over, et Joanne grimaça à la vue de la blessure. Mais elle se ressaisit, ôta la laine polaire qu'elle portait, puis son débardeur, qu'elle

53

enroula en guise de pansement autour du bras de son compagnon.

Il se crispa sous la douleur. Joanne était en soutien-gorge, mais elle n'y attachait pas d'importance. L'heure n'était pas à la pudibonderie !

— Vous vouliez savoir comment me remercier ? murmura-t-il soudain. Vous n'avez qu'à m'épouser...

Ce furent les dernières paroles qu'il prononça avant de s'évanouir.

4.

Gavin ouvrit les yeux et mit quelques secondes à se rappeler qu'il se trouvait dans une chambre de l'hôpital où il avait été transporté par hélicoptère.

Il se souvint que le chirurgien était passé un peu plus tôt pour lui annoncer qu'on l'avait opéré. Il avait été soulagé d'apprendre que la balle n'avait pas touché l'os.

Sa mère lui avait rendu visite dans la journée, avant de retourner à Kin Can. Elle avait bien un peu pleuré en le voyant, mais elle avait conclu, avec sa philosophie habituelle : « Enfin, tout est bien qui finit bien ! »

Mais était-ce vraiment fini ?

Gavin se redressa péniblement sur ses oreillers et repensa à ce qui s'était passé. Les menottes, les armes, la bagarre au cours de laquelle il avait été blessé... Mais ce qui était le plus présent à son esprit, c'était qu'il avait demandé Joanne Lucas en mariage... Et le pire, c'était qu'il était sincère...

Il se souvenait s'être ensuite évanoui sans laisser à la jeune femme le temps de répondre.

Lorsqu'il était revenu à lui, il se trouvait dans l'hélicoptère en route pour l'hôpital. Joanne n'était pas là, et une infirmière lui avait appris qu'elle était restée à Kin Can.

Pourquoi diable l'avait-il demandée en mariage ? Pourquoi n'avoir pas simplement dit : « J'ai envie de vous depuis que je vous ai vue pour la première fois ? » Cela aurait tout de même été plus simple…

Et pourtant, au fond de lui-même, il savait que le mot « mariage » était exactement celui qu'il avait voulu employer. Pourquoi ?

La réponse surgit brusquement dans son esprit : pour Rosie et Adele.

Depuis quelques années, en effet, Rosie avait de plus en plus de mal à comprendre pourquoi elle n'avait pas de maman, comme ses amis et ses cousins. Adele était une présence féminine, Dieu merci, mais ce n'était pas la même chose.

Et puis, Gavin savait que sa mère n'avait qu'une envie depuis la mort de son père : retourner à Brisbane. D'abord parce que Kin Can lui rappelait trop de souvenirs, ensuite parce qu'elle avait toujours été une citadine dans l'âme. C'était d'ailleurs pour cela qu'elle se rendait si fréquemment en ville, sous les prétextes les plus divers.

Oui, Adele méritait une retraite paisible et à son goût. Il n'était pas étonnant qu'elle passe son temps à décorer, peindre et repeindre le moindre recoin de la maison. Elle s'ennuyait à mourir, malgré son amour indéniable pour son fils et sa petite-fille.

Gavin fronça les sourcils. Il avait été trop égoïste, trop arrogant pour admettre la vérité : il avait besoin d'une femme, d'une mère pour Rosie… Il pourrait ainsi rendre à Adele sa liberté. Et qui pourrait mieux tenir ce rôle qu'une femme intelligente, pleine d'humour et qui, de son propre aveu, adorait les enfants ?

Oui, Joanne Lucas était la candidate idéale.

Et le fait qu'il la désirait comme il n'avait pas désiré une femme depuis longtemps ne gâtait rien...

5.

Joanne s'arrêta au beau milieu de son travail — à savoir le portrait d'Adele Hastings —, posa son menton dans sa main et se remémora les événements des jours précédents.

D'après ce qu'elle avait pu reconstituer des événements, la police avait été alertée par Adele Hastings qui ne parvenait pas à joindre son fils depuis deux jours. Une voiture de patrouille était venue de Cunnamulla. En découvrant que le panneau signalant l'entrée de Kin Can avait été enlevé, les agents avaient appelé des renforts. Puis ils avaient retrouvé Case, le contremaître du domaine, ligoté dans une cabane à quelques kilomètres de la maison. Voilà comment Gavin et'elle avaient pu être secourus...

Quant aux trois ravisseurs, dont l'un avait été blessé par ses complices, ils avaient été placés en détention. Le meneur était le frère d'un ancien employé de Kin Can, renvoyé par Gavin pour incompétence et usage de drogue. Le moteur de toute l'opération semblait donc être la vengeance.

Joanne avait refusé d'être hospitalisée. Après tout, ses seules blessures étaient les bleus qu'elle s'était faits en tombant. Adele Hastings ayant insisté pour qu'elle reste, elle avait accepté de ne pas la laisser seule. La petite Rosie, elle, était demeurée à Brisbane avec la sœur de Gavin, en attendant que tout se calme.

Le lendemain de cette éprouvante journée, Joanne avait demandé à Adele pourquoi elle n'avait pas averti son fils de sa venue.

Adele avait redressé la tête, une lueur fière et hautaine dans le regard.

— Moins je consulte Gavin, mieux je me porte.

Joanne avait cligné des yeux, incapable de cacher sa surprise.

— Pourquoi ça ?

— Parce qu'il est déjà assez tyrannique comme ça. Quand je veux faire quelque chose, je préfère agir et le mettre ensuite devant le fait accompli.

— Mais pourquoi s'opposerait-il à ce que vous fassiez faire votre portrait, madame Hastings ?

— Il n'y aurait sans doute vu aucun inconvénient. C'est juste une question de principe pour moi. Et puis, pour tout vous dire, j'ai une idée derrière la tête.

— Vraiment ?

Adele avait dévisagé Joanne par-dessus sa tasse de café. Ses yeux, aussi bleus que ceux de son fils, étaient brillants d'excitation.

— Eh bien, je voudrais offrir ce portrait à ma fille Sharon pour son trentième anniversaire. Elle est assez connaisseuse en matière d'art et elle m'a dit qu'elle aimait beaucoup ce que vous faisiez. Mais...

Adele avait hésité un instant.

— C'est surtout Gavin que je voudrais que vous dessiniez. Je voudrais accrocher son portrait à côté de celui de son père, de son grand-père et de son arrière-grand-père.

Très étonnée, Joanne avait reposé sa tasse.

— Vous croyez qu'il sera d'accord ?

— J'en doute. Je lui en ai déjà parlé et il m'a répondu qu'il n'avait pas de temps à perdre. Mais je suis sûre que vous pourrez faire son portrait de tête. Mon amie Elspeth Morgan — c'est elle qui vous a recommandée à moi — a dit qu'elle était ravie des dessins que vous avez faits de ses chats. Sur la base de photos, apparemment.

Joanne s'était retenue de lever les yeux au ciel. Le travail pour Elspeth Morgan, bien que lucratif, avait été assez pénible. Egérie de la jet-set de Brisbane, Elspeth avait changé d'avis une bonne dizaine de fois avant de choisir les vêtements qu'elle porterait pour poser. Elle avait été si enchantée de son portrait qu'elle avait demandé à Joanne de peindre chacun de ses quatre chats, individuellement...

— C'est-à-dire que... je me fais un devoir de ne pas faire le portrait de personnes qui n'en ont pas envie.

Adele l'avait dévisagée avant de hocher lentement la tête.

— Je vois.

Elle avait réfléchi quelques instants, le front plissé, puis un sourire charmeur était venu éclairer son visage.

— Bon, oubliez que j'ai parlé de ça. Mais vous allez au moins rester avec nous et faire mon portrait, ainsi que celui de Rosie ? Je sais que Gavin adorerait avoir un portrait de sa fille. Et puis, je serais ravie de vous avoir comme invitée.

Joanne avait hésité.

— C'est-à-dire que...

— Sans compter, avait ajouté Adele, que je me sens terriblement coupable de vous avoir attirée dans cette histoire affreuse. Et d'avoir oublié que vous veniez !

60

Ces derniers temps, vous savez, ma mémoire me joue des tours.

— En l'occurrence, tant mieux. Heureusement que ni vous ni Rosie n'étiez là, avait répondu Joanne avec un frisson d'effroi rétrospectif.

— S'il vous plaît, Jo... Je peux vous appeler Jo, n'est-ce pas ? Mon amie Elspeth Morgan est devenue insupportable depuis que vous avez fait ce portrait d'elle et de ses chats. Depuis, c'est tout juste si elle ne se prend pas pour la reine d'Angleterre. Alors, vous me rendriez un grand service en peignant pour moi. Comme cela, je pourrai la narguer à mon tour.

Joanne n'avait pu s'empêcher de rire.

— Pour avoir fréquenté Elspeth pendant un certain temps, je comprends ce que vous voulez dire !

— Alors, vous restez ? fit Adele d'un ton plein d'espoir.

La jeune femme avait hésité avant d'acquiescer.

— C'est d'accord.

— C'est merveilleux ! A présent, dites-moi juste de quoi vous avez besoin et je veillerai à ce que vous passiez un excellent séjour parmi nous...

Joanne soupira en repensant à cette conversation. Elle se trouvait actuellement dans sa chambre, une pièce bien plus moderne et fonctionnelle que celle dans laquelle elle avait été enfermée avec Gavin. Elle était surtout assez vaste pour accueillir une grande table sur laquelle elle pouvait travailler.

Encore que « travailler » était sans doute un bien grand mot. Car ces derniers jours, elle avait été incapable de dessiner quoi que ce soit de satisfaisant. Les ratés s'entassaient dans la poubelle, et sa frustration grandissait.

Elle avait beau essayer de ne pas y penser, son esprit était accaparé par une seule chose : la demande en mariage de Gavin, et la joie qu'elle avait ressentie lorsqu'il l'avait formulée.

Elle avait beau se répéter qu'il s'agissait d'une plaisanterie faite avant qu'il ne s'évanouisse, cela ne changeait rien : elle était tombée amoureuse de Gavin. N'était-elle pas censée le détester pour la façon dont il s'était comporté avec elle ? A quel moment était-ce arrivé, exactement ?

Joanne n'avait pas de réponse à ces questions. Tout ce qu'elle savait, c'était qu'elle ne pouvait penser à lui sans ressentir un frisson de désir.

Cela expliquait sans doute pourquoi elle était encore ici, alors que sa raison lui criait de prendre ses jambes à son cou et de quitter Kin Can au plus vite. Et cela expliquait également son manque d'inspiration. Ce n'était pas Adele, en effet, qu'elle avait envie de peindre.

C'était son fils.

Joanne resta immobile pendant quelques minutes. La maison était silencieuse. Elle était seule avec Mme Harper, la discrète et efficace gouvernante. Adele avait pris l'avion pour Brisbane, où elle devait récupérer Rosie. Au retour, elles iraient chercher Gavin à l'hôpital, et tous trois reviendraient ensemble à Kin Can.

Elle finit par se lever et, plongée dans ses pensées, se mit à errer à travers les pièces. Dans chacune d'entre elles, la décoration était parfaite. Inspirée et luxueuse.

Joanne se glissa dans la véranda ouvrant sur le jardin. Le parquet de bois blond était réchauffé par des tapis mexicains aux couleurs vives. A l'extérieur, le regard était attiré par la piscine bleu azur, au centre d'une pelouse parfaitement entretenue.

Ici, dans cette ancienne ferme rénovée et réaménagée, il était difficile d'imaginer qu'on était entouré de milliers d'hectares de désert. De nouveau, le soleil brillait de tous ses feux, et l'humidité que l'orage avait déposée trois jours plus tôt avait été absorbée par la terre assoiffée.

L'autre côté de la demeure, en revanche, rappelait qu'il s'agissait avant tout d'un domaine d'élevage, et non d'une oasis de luxe. Un grand hangar à machines agricoles dominait le paysage, à côté des entrepôts où était récoltée et stockée la laine des moutons.

Régner sur cet endroit, c'était régner sur un empire, avait songé Joanne quelques jours plus tôt, pendant que Case lui faisait faire le tour du propriétaire. Et c'était ce qui lui arriverait si elle acceptait d'épouser Gavin...

Mais cette idée était si incongrue qu'elle la chassa aussitôt, comme chaque fois qu'elle surgissait dans son esprit.

Joanne leva les yeux en entendant le vrombissement d'un avion au-dessus d'elle. Un petit appareil décrivait un grand cercle et s'apprêtait à atterrir sur la piste du ranch.

La famille Hastings, au complet cette fois, était de retour. Joanne songea qu'il était temps pour elle de revenir sur terre, et d'oublier ses fantasmes.

Revoir Gavin ne fut pas l'épreuve à laquelle elle s'était attendue.

Un spectateur extérieur aurait pu croire qu'il n'y avait aucune tension entre elle et lui. Mais quelqu'un de plus attentif n'aurait pas manqué de remarquer que Joanne rougissait et balbutiait un peu trop... Malgré cela, elle

63

était sûre que Gavin ne soupçonnait rien de la nature réelle de ses sentiments.

Le soir venu, Adele annonça qu'un dîner de fête serait servi pour célébrer le retour de Gavin.

Lorsque Joanne monta se changer, elle aperçut au passage la table dressée dans le salon. La vaisselle en argent et les verres de cristal scintillaient sur une nappe blanche. Encore une preuve du goût et des talents de décoratrice de Mme Hastings, se dit-elle.

Elle se doucha et sortit sa plus belle robe, de soie sauvage gris perle, dont l'ourlet était coupé en biais à hauteur du genou. Elle attacha ensuite ses cheveux, avant de changer d'avis et de les relâcher. Avant de refaire finalement son chignon...

Elle prit ensuite une profonde inspiration, et sortit de sa chambre.

— Enfin ! fit Gavin en lui tendant un verre. Nous voilà seuls...

Joanne leva les yeux vers lui et accepta le brandy. Il n'était pas très tard mais Rosie avait été envoyée au lit, et Adele s'était retirée dans ce qu'elle appelait « sa suite ».

— Comment vous sentez-vous ? demanda Joanne après s'être éclairci la gorge, rompant le silence qui s'installait entre eux.

A l'extérieur, les lampes de la piscine étaient allumées, et les arbres projetaient sur la pelouse des ombres gigantesques.

— Plutôt bien, répondit-il. Il n'y a plus que les points à enlever. Et vous ?

— J'essaie de dessiner, mais sans grand succès. Je crois

vraiment que j'aurais dû rentrer à Brisbane, histoire de faire un break. Mais votre mère a tenu à me garder.

— C'est moi qui lui ai demandé d'insister.

Joanne souffla sur sa mèche, en un geste qui trahissait sa nervosité. Gavin, pendant ce temps-là, s'était approché de la fenêtre et semblait observer le jardin.

Elle en profita pour l'étudier à la dérobée. Il portait un pantalon kaki et une chemise à rayures rouges et blanches, parfaitement coupés. Il ne ressemblait plus du tout à l'homme en fuite qu'il était la première fois qu'elle l'avait vu. Il paraissait plus détendu, même s'il était encore un peu pâle.

— Excusez-moi, qu'avez-vous dit ? demanda-t-elle enfin.

— Vous avez bien entendu. C'est moi qui ai demandé à ma mère de vous retenir.

— Je vois... Recevoir une balle n'a rien changé à vos manières autoritaires, apparemment.

— Rien ne vous rappelait à Brisbane, de toute façon, déclara-t-il d'une voix douce, presque distraite.

— Qu'est-ce que vous en savez ?

Gavin se détourna enfin de la fenêtre et, quittant son poste d'observation, tira une chaise pour s'asseoir en face d'elle.

— Je n'en sais rien, mais si vous êtes venue à Kin Can, je suppose que vous aviez prévu d'y rester le temps de terminer le portrait, non ?

Joanne haussa les épaules.

— Peut-être. Mais les événements ont été un peu traumatisants.

D'un geste, il balaya la remarque et plongea ses yeux dans les siens.

— J'étais sincère, Jo. Voulez-vous m'épouser ?

Elle se figea, la gorge sèche. Puis elle reposa son verre sur la table.

— Gavin, ce n'est pas sérieux ? Nous nous connaissons à peine et...

— Nous nous connaissons mieux que la plupart des gens, coupa-t-il avec force. Ce que nous avons traversé nous a révélé beaucoup de choses.

Il la dévisageait si intensément qu'elle détourna le regard.

— Et puis, ajouta-t-il, nous sommes très attirés l'un par l'autre. Voulez-vous que je vous montre à quel point vous me plaisez ?

— Surtout pas, répliqua Joanne, dont le souffle s'accéléra.

— Vous avez peur de ne pas pouvoir me résister ?

— Je suis tout à fait capable de vous résister. Je n'ai qu'à me lever et partir.

— Vous n'iriez pas bien loin. A supposer que je vous laisse partir.

Cette fois, Joanne posa sur lui un regard sévère.

— Gavin... Dois-je vous rappeler que vous avez déjà essayé cette tactique avec moi ? Mais cette fois, vous n'avez pas de fusil pour me forcer à obéir.

— Il n'était pas chargé.

— Je ne pouvais pas le savoir.

— C'est vrai. Vous avez même tenté de me fausser compagnie. Je dois avouer que vous êtes courageuse.

— Merci du compliment. Que faisons-nous, maintenant ?

— Essayons d'avoir une conversation adulte, d'accord ? Si vous êtes restée à Kin Can, je suppose qu'il y a une raison, n'est-ce pas ? Ma mère ne vous a pas menacée avec un fusil, elle ?

Joanne se mordit la lèvre et ne répondit pas.

— Vous voyez ce que je veux dire ? fit son compagnon d'un air satisfait.

— Il se trouve que votre mère est très persuasive, c'est tout. Inutile d'aller chercher midi à quatorze heures.

— Donc, si vous êtes restée, ça n'a rien à voir avec moi ?

— Ecoutez...

Joanne s'interrompit et tourna son regard vers la pelouse, cherchant les mots justes.

— Ecoutez, nous savons tous deux que le mariage n'est pas pour nous et...

— Les choses changent, coupa son compagnon d'un ton presque dur, souvent lorsqu'on s'y attend le moins. C'est vrai, je pensais que le souvenir de Sasha m'empêcherait de me remarier. Mais aujourd'hui, je pense autrement.

— En quoi ? Vous ne feriez que nous comparer. Tenez, à qui Rosie vous fait-elle penser ?

— A sa mère, répondit aussitôt Gavin. Mais ça ne veut pas dire que nous ne pouvons pas créer notre propre univers. Mais parlons de vous un instant.

Il marqua une pause et l'étudia avec une telle insistance que Joanne se sentit rougir.

— Vous savez à quoi je pensais, à l'hôpital ? reprit-il.

Elle secoua la tête.

— Je me disais que si vous étiez encore là, à mon retour, cela voudrait dire que vous étiez curieuse de voir ce qui allait se passer entre nous. Curieuse de voir comment allait évoluer cette attirance que nous avons ressentie l'un pour l'autre, durant ces longues heures.

— Mais... nous étions dans des circonstances inhabituelles, fit valoir Joanne. Nos réactions n'avaient rien de normal.

— Peut-être.

— Et puis, vous m'avez sauvé la vie. Il est difficile de démêler nos sentiments, dans tout ça.

Avec un haussement d'épaules, Gavin fourra les mains dans ses poches.

— Bon, comme vous voudrez.

— Vous... vous voulez dire que vous renoncez à m'épouser ? demanda-t-elle, méfiante.

— Non. Je renonce juste à essayer de vous convaincre. Je ne veux pas vous forcer la main. Mais au cas où vous auriez peur que le mariage ne mette en péril votre carrière d'artiste, sachez que je vous encouragerai de tout cœur à la poursuivre.

Joanne ouvrit et referma la bouche plusieurs fois, sans pouvoir parler.

— Et puisque nous en sommes au stade de la réflexion, reprit-il, il serait bon de ne pas négliger cela...

Soudain, il fut près d'elle, et Joanne comprit aussitôt ce qu'il allait faire. Malheureusement, ses jambes la trahirent, et elle ne put reculer comme elle en avait l'intention. Au lieu de cela, elle se retrouva dans ses bras, ses lèvres à quelques centimètres de celles de Gavin.

— Je me demande si vous avez la moindre idée du désir que j'éprouve pour vous, mademoiselle Lucas, souffla-t-il.

— Pourquoi moi ? s'étonna-t-elle.

— Pourquoi ? Mais parce que vous êtes magnifique. Vos lèvres sont si sensuelles. On ne vous l'a jamais dit ?

— Je... Euh, je n'ai jamais vraiment aimé qu'on m'embrasse, bredouilla Joanne en secouant la tête.

— Parce que vous n'avez pas rencontré la bonne personne. Vous n'avez jamais éprouvé de plaisir ?

Elle s'apprêtait à lui répondre que cela ne le regardait certainement pas, mais elle changea de stratégie.

— Pourquoi ? demanda-t-elle.

Il fronça légèrement les sourcils.

— Je reçois des signaux contradictoires, expliqua-t-il. D'un côté, il y a la Joanne Lucas froide et posée, capable de tenir tête à n'importe qui. De l'autre, il y a la jeune femme qui s'est blottie dans mes bras pour dormir...

— Vous vous faites des idées. J'avais froid.

— Vraiment ? Voyons voir ça.

Et il se pencha vers elle. Juste avant que ses lèvres ne touchent les siennes, il murmura :

— Ne vous en faites pas. Ça ne fera pas mal.

Jamais un homme ne l'avait embrassée ainsi. En une fraction de seconde, Joanne plongea dans un univers de délices inconnus, fait de sensualité et d'excitation.

Tout en l'embrassant, Gavin l'avait attirée tout contre lui. Il glissa une main derrière sa nuque et, de l'autre, se mit à caresser ses seins. La respiration de Joanne s'accéléra, son cœur se mit à battre la chamade.

— Vous aimez ça ? souffla son compagnon.

Elle ne répondit pas. Elle ne trouvait pas les mots pour lui expliquer que oui, elle aimait cela, mais qu'elle trouvait cela également dangereux.

Pourtant, elle s'agrippa à lui et continua à l'embrasser. Jusqu'au moment où il tressaillit et grimaça.

— Mon Dieu ! s'exclama Joanne, portant une main à ses lèvres. Votre blessure ! Je suis désolée.

— Tout va bien. Laissez-moi juste reprendre mon souffle.

— Oh non ! Je vous ai fait mal ? Je...

— Jo, coupa-t-il avec un petit sourire. Je vais bien, d'accord ? Et je vais encore mieux quand je fais ça.

De nouveau, ses lèvres se posèrent sur les siennes. Joanne se força à se détendre, en partie par peur de lui faire mal, et en partie pour faire semblant de maîtriser la situation.

Mais cela ne dura pas longtemps. Lorsque la main de son compagnon glissa sous son pull et enveloppa l'un de ses seins, elle se sentit fondre de nouveau et s'affaissa contre lui.

— Vous savez que vous étiez très séduisante, ce soir ? Mais un peu sévère. Je dois dire que je vous préfère comme ça.

— Comment ?

— Plus... délurée.

— Je ne suis pas délurée !

— Vraiment ? ironisa-t-il en défaisant le nœud qui retenait ses cheveux.

— C'est votre faute.

— Je dois avouer que ça fait longtemps que j'ai envie de faire ça... Vous savez que j'ai envie de vous depuis le jour où je vous ai rencontrée, n'est-ce pas ? Même lorsque je vous soupçonnais ?

— Je... j'ai surtout réalisé que vous aviez des idées très arrêtées sur les femmes en général, et sur moi en particulier.

Il se mit à rire, et écarta le tissu de sa robe pour lui embrasser l'épaule.

— J'espère que cette revanche vous satisfait ? murmura-t-il.

Elle leva les yeux vers lui.

— Une revanche ?

— Oui...

Du bout des doigts, Gavin fit glisser la bretelle de son soutien-gorge.

— ... je suis complètement à votre merci, mademoiselle Lucas.

Elle ouvrit la bouche pour lui répondre que c'était plutôt le contraire, mais il la devança.

— A moins que nous ne soyons à la merci l'un de l'autre...

Et il l'embrassa plus profondément. Pour la première fois de sa vie, Joanne ne vivait pas cela comme une invasion. Au contraire, elle en tirait un plaisir d'une intensité qu'elle ne soupçonnait pas.

Tous ses sens étaient en éveil, et quelque chose en elle la poussait à répondre avec passion à cet homme qui lui faisait perdre tous ses repères. En un instant, la féminité qu'elle avait si longtemps réprimée venait de se libérer.

Quand Gavin la relâcha, Joanne dut prendre appui contre le mur pour ne pas tomber. Il posa les mains sur ses joues et plongea son regard dans le sien.

Joanne sentait son cœur battre à un rythme effréné dans sa poitrine. Instinctivement, elle remonta la bretelle de son soutien-gorge.

En voyant les pupilles dilatées de la jeune femme, et son air un peu perdu, Gavin comprit qu'il allait devoir faire un effort surhumain pour en rester là, pour ne pas la prendre par la main et la conduire dans sa chambre, pour ne pas lui faire l'amour jusqu'à la faire crier de plaisir...

Soudain, il la vit froncer les sourcils. Suivant son regard, il vit une tache de sang sur la manche de sa chemise. Au même instant, Joanne sembla sortir de sa torpeur.

71

— Oh non ! Regardez ce que je vous ai fait !

— Je n'ai rien senti. Et ce n'est pas votre faute.

— Bien sûr que si c'est ma faute ! Mais c'est aussi la vôtre ! On n'embrasse pas les gens comme ça alors qu'on sort tout juste de l'hôpital.

— Il n'y a que vous que j'ai envie d'embrasser comme ça.

— Ne coupez pas les cheveux en quatre, grommela-t-elle. Faites-moi voir ça.

Et elle entreprit de déboutonner sa chemise, avec une expression décidée sur le visage.

— Je suppose que ce n'est pas la peine de protester ?

— Non, en effet.

La chemise tomba à terre, et la jeune femme étudia le pansement.

Gavin lui sourit, puis baissa les yeux sur la gaze qui entourait son épaule blessée.

— Je crois qu'il faut juste refaire le pansement.

— Nous verrons. Venez avec moi.

Une fois dans la salle de bains, Joanne dénicha la boîte à pharmacie dans un tiroir. Puis, avec habileté, elle entreprit d'ôter le pansement et de nettoyer la blessure. Par bonheur, les points n'avaient pas sauté.

Et cinq minutes plus tard, Gavin arborait un nouveau bandage.

— Voilà, dit-elle. Je pense que tout va bien. Mais vous devriez voir un médecin si les saignements reprennent.

Une ride pensive barrant son front, son compagnon entreprit de se rhabiller.

— Vous avez un diplôme d'infirmière ?

— Non. Mais j'ai suivi un cours de secourisme à l'école.

— Apparemment, vous avez été très attentive. J'ai l'impression que vous abordez tout ce que vous faites avec le plus grand sérieux.

— Je ne sais pas...

Joanne se demanda comment cet homme qu'elle connaissait à peine pouvait en savoir autant sur elle.

— J'ai raison, n'est-ce pas ? fit-il en riant.

Elle rougit et baissa les yeux.

— Encore une bonne raison pour vous épouser, ajouta-t-il.

Joanne se détourna et se trouva face à face avec son reflet, dans le grand miroir qui se trouvait au-dessus du lavabo. Ses cheveux étaient en bataille, son visage était pâle et son regard semblait avoir changé, encore qu'elle n'aurait su dire en quoi.

— Mon offre tient toujours, enchaîna son compagnon.

Elle le fixa dans le miroir, se demandant comment répondre.

— Tout s'est passé... si vite, murmura-t-elle.

— Bien sûr. A cause des circonstances dans lesquelles nous nous sommes rencontrés. Nous avons même dormi ensemble avant de nous connaître. Du moins, *vous* avez dormi dans mes bras.

Joanne se sentit rougir jusqu'à la racine des cheveux.

— Vous ne me laisserez pas tranquille avec ça, n'est-ce pas ?

— Non, répondit-il, une lueur malicieuse dans le regard.

Joanne pivota brusquement sur elle-même, le cœur battant.

— Vous ne pouvez pas me demander de vous épouser sans me fournir au moins un semblant d'explication. Donnez-moi une bonne raison.

Le visage de Gavin se fit grave.

— Vous avez raison. Voilà... J'ai réalisé que j'avais besoin d'une femme parce que Rosie avait besoin d'une mère. Quant à Adele, elle a besoin de se reposer et ne peut pas jouer ce rôle. Quelque chose, je ne sais pas quoi, m'a fait comprendre que c'était vous.

— Mais pourquoi ? murmura-t-elle.

Il haussa les épaules.

— Je ne sais pas. Peut-être à cause de ce que nous avons vécu et qui nous a rapprochés. Vous dites que je vous ai sauvé la vie, mais c'est peut-être bien vous qui avez sauvé la mienne en assommant ce type. Et puis... nous nous apprécions, non ?

— C'est une façon aimable de dire que nous ne sommes pas follement amoureux l'un de l'autre ?

Joanne crut le voir ciller.

— Les émotions les plus flamboyantes, fit-il valoir, ne sont pas toujours les plus solides.

La jeune femme baissa les yeux et fixa le sol un moment. Puis elle acquiesça.

— Très bien, je vais y réfléchir.

Gavin parut sur le point d'ajouter quelque chose, mais il se contenta de déposer un baiser léger sur ses cheveux et de tourner les talons.

6.

Joanne décida de ne pas aller se coucher tout de suite.

Elle passa un gilet, sortit sous la véranda, puis descendit les quelques marches qui menaient à la pelouse. Non loin de là, elle avisa un banc de bois sur lequel elle alla s'asseoir.

L'air se réchauffait un peu à l'approche du printemps, mais il faisait encore frais et elle frissonna. Resserrant son gilet autour d'elle, elle leva les yeux vers un ciel sans nuage, où brillaient des myriades d'étoiles. Du fait de l'absence de pollution lumineuse, le Queensland était réputé pour la qualité de ses ciels nocturnes et attirait de nombreux passionnés d'astronomie.

Les étoiles cessèrent bientôt de l'intéresser comme elle songeait aux événements de la soirée. Un miracle s'était produit, rien de moins. Gavin l'avait libérée.

Elle n'avait pas menti en affirmant qu'elle n'aimait pas — du moins jusqu'à ce soir — être embrassée. Elle avait juste omis de préciser pourquoi.

Entre douze et dix-huit ans, elle avait vécu dans trois familles d'accueil différentes. Deux d'entre elles s'étaient montrées chaleureuses et généreuses, et avaient tout fait pour lui donner l'impression de faire partie intégrante du foyer.

Vivre dans la troisième, en revanche, avait été un vrai cauchemar. Elle venait d'avoir quinze ans lorsque le père s'était mis à s'intéresser un peu trop à elle. Cela avait commencé par des compliments sur sa silhouette, puis il avait commencé à la toucher, soi-disant accidentellement. Un jour, il avait fini par l'acculer dans un coin du salon et par l'embrasser. Puis il avait déclaré que si elle s'avisait de le répéter, personne ne la croirait.

Joanne avait aussitôt fait ses bagages et couru au poste de police local.

Au début, en effet, on ne l'avait pas crue. Certains avaient même suggéré qu'elle avait peut-être « provoqué » son agresseur. Mais Joanne avait tenu bon. Un rapide contrôle avait confirmé qu'elle était une jeune femme raisonnable et sans histoires, et une enquête avait été ouverte. Deux autres filles, qui avaient vécu dans la même famille, avaient fini par révéler qu'elles avaient dû subir les assauts de cet homme. Mais elles avaient été trop effrayées pour en parler.

A partir de ce moment, Joanne avait refusé de retourner dans une famille comprenant un homme. Elle avait reçu un soutien psychologique et avait été placée chez une veuve qui avait elle-même travaillé dans les services sociaux, et qui avait une fille de son âge. Toutes deux étaient rapidement devenues les meilleures amies du monde.

A l'époque, elle avait surpris une conversation entre son psychiatre et son assistante sociale. Le psychiatre avait assuré qu'elle s'en sortirait facilement et qu'elle oublierait cette mésaventure parce qu'elle était une fille solide, indépendante et courageuse.

Il s'était trompé. Ou du moins, il avait oublié un

qualificatif important : sensible. Au point que Joanne, au cours de ses rares aventures amoureuses, avait été incapable d'oublier ce premier et répugnant baiser.

Le fait de ne pas avoir été crue tout de suite avait sûrement renforcé sa résolution de ne jamais dépendre de personne.

Mais Gavin Hastings, pour une raison qu'elle ignorait, avait changé tout cela. Et avec un seul baiser. Comment avait-il fait ? Etait-ce à cause de ce qu'ils avaient vécu ensemble ? Lui faisait-elle confiance de façon instinctive ?

Une seule chose était sûre : rien ne l'avait préparée au déferlement de sensations qu'elle venait de vivre.

Elle ferma les yeux et exhala un long soupir. Elle sentait que le venin qui l'avait empoisonnée jusqu'ici venait de quitter son corps. Elle aurait dû en être soulagée, bien sûr, mais elle avait un autre problème à gérer.

Que faisait-on lorsque l'on était amoureuse d'un homme qui ne l'était pas de vous ?

Plus grave encore : que faisait-on lorsque ce même homme voulait vous épouser ?

7.

Le lendemain matin en ouvrant les yeux, Joanne découvrit Rosie assise au bout de son lit.

— Bonjour ! fit-elle d'une voix ensommeillée.

Elle se redressa, et loucha en direction du réveil. Il n'était que 6 h 30. Les premiers feux du jour filtraient à peine à travers les volets.

— Bonjour ! s'écria Rosie. Ici, on se lève toujours à l'aube. Je voulais te mettre au courant.

— C'est très aimable à toi.

— Grand-mère dit que tu vas faire son portrait et le mien. J'ai hâte ! J'adore dessiner, moi aussi ! Tu veux commencer maintenant ?

— Maintenant ? Euh...

— Tu veux peut-être une tasse de thé d'abord ? Grand-mère ne peut rien faire avant d'avoir bu une tasse de thé, le matin.

— Merci. Ce serait formidable.

Rosie s'éclipsa, et Joanne en profita pour se doucher à la hâte. Elle venait de terminer de s'habiller lorsque la petite fille revint, portant un plateau sur lequel se trouvaient une tasse de thé, un verre de lait et deux toasts.

— Un pour toi, un pour moi, annonça-t-elle en partageant les tartines. Et le verre de lait, c'est pour moi.

C'est Mme Harper qui a tout préparé. Elle m'a grondée parce que je t'ai réveillée trop tôt.

Joanne regarda la petite fille et ne put s'empêcher de se mettre à rire. Rosie était à l'évidence un sacré personnage.

Elle avait dû mettre sa plus belle tenue, une robe rose à longues manches avec un nœud dans le dos. Elle avait attaché ses cheveux en couettes et mis des chaussettes blanches, et elle ressemblait ainsi à une petite fille d'une autre époque. L'effet était drôle et touchant à la fois.

— Merci, répondit gravement Joanne. C'est vraiment délicieux.

Rosie eut un sourire ravi.

— Tu voudras que je pose ? demanda-t-elle avec excitation.

La jeune femme considéra la chose en sirotant son thé.

— Eh bien, puisque tu aimes dessiner, je pourrais te prêter des crayons et du papier. Qu'en dis-tu ?

— Oh oui ! s'exclama la petite fille. Mais qu'est-ce que je vais dessiner ? Oh, je sais ! La chienne préférée de papa a eu des petits l'autre jour...

Cinq minutes plus tard, le visage plissé par la concentration, Rosie était plongée dans son dessin. Joanne en profitait pour en faire le portrait, sans se presser. Rosie était un sujet facile. Elle l'inspirait.

— On m'a dit que tu allais à l'école l'année prochaine ? demanda-t-elle après quelques instants.

— Oui, répondit Rosie avec un soupir à fendre l'âme.

— Ça n'a pas l'air de t'enchanter...

— Si, mais ça veut dire que je vais aller avec grand-mère à Brisbane. Elle ne veut pas rester ici. Et comme je n'ai pas de maman pour s'occuper de moi, je ne peux pas suivre les cours par correspondance comme les enfants des autres domaines.

— Et Mme Harper ? Tu t'entends bien avec elle ? Elle ne pourrait pas te garder ?

— Elle a trop de travail. Et puis, tout le monde me traiterait de bébé.

— Je vois, fit Jo. Et qu'en dit ton père ?

Rosie prit une grosse voix et déclara :

— Nous avons plusieurs mois pour y réfléchir, poisson-chat.

— Poisson-chat ?

— Oui, c'est mon surnom.

On frappa à la porte et Gavin entra dans la pièce. Rosie bondit de sa chaise et courut vers lui, son dessin à la main.

— Papa, regarde ce que j'ai fait !

— Rosie ? Mais qu'est-ce que tu fais ici à cette heure-ci ? Je veux dire, c'est un très beau dessin, mais il est très tôt... Bonjour, Jo. Désolé, je me suis réveillé un peu tard.

— Tout va bien. Rosie et moi en avons profité pour faire vraiment connaissance.

— Ah oui ? Qu'est-ce que vous vous êtes raconté ?

Joanne sourit, puis haussa les épaules.

— Désolée, c'est entre filles.

Rosie hocha la tête d'un air approbateur.

— Et maintenant, s'écria-t-elle, on peut prendre le petit déjeuner ? J'ai faim !

*
* *

80

La matinée fila à toute vitesse.

Au grand soulagement de Joanne, le médecin de famille passa à Kin Can pour s'assurer que Gavin allait bien.

— Ecoute, dit-il après avoir vérifié le bandage et appris que la blessure avait saigné, il va falloir te reposer. Qu'est-ce que tu as donc fait pour rouvrir la plaie ?

Joanne, dans l'encadrement de la porte, retint son souffle. Gavin lui adressa un clin d'œil avant de répondre :

— Je faisais un peu de sport.

— Eh bien n'en fais plus. Tu n'es plus dans les services spéciaux !

Le médecin se pencha pour reprendre sa trousse, et découvrit la présence de la jeune femme.

— Au fait, Tom, je te présente Joanne Lucas, déclara Gavin. Elle est venue faire le portrait d'Adele. Jo, voici Tom Watson.

— Ah, voici donc la jeune femme dont nous avons tous entendu parler ! Ravi de faire votre connaissance, mademoiselle. Vous avez été très courageuse.

— C'est vrai, renchérit Gavin avant qu'elle puisse ouvrir la bouche. C'est pour ça que j'essaie de la persuader de m'épouser.

Tom se mit à rire.

— Oh là ! Je réfléchirais à deux fois si j'étais vous, mademoiselle. Gavin est connu pour n'en faire qu'à sa tête. Bon, allez, je file. J'ai d'autres consultations.

Avec un geste de la main, il se dirigea vers son petit avion, un Beechcraft. Quelques instants plus tard, il décollait de la piste de Kin Can.

— Comment avez-vous pu faire ça ? demanda Joanne, plantant ses poings sur ses hanches.

— Faire quoi ?

— Ne faites pas semblant de ne pas comprendre. Lui dire que vous vouliez m'épouser !

— Il l'a pris comme une plaisanterie.

— Et s'il l'a pris au sérieux ?

— Eh bien tant mieux, puisque c'est vrai.

— Gavin...

— Est-ce que je peux faire une suggestion ? coupa-t-il.

Joanne le dévisagea avec méfiance.

— Quoi donc ?

— Que diriez-vous de prendre une semaine ou deux pour réfléchir à la chose ? Vous pourriez vous faire à la vie du domaine, faire connaissance avec tout le monde... et avec moi.

— Je...

— Est-ce que c'est trop demander ?

— Pour vous remercier de m'avoir sauvé la vie ?

— Non, bien sûr que non. Ce n'est pas du tout ce que je veux dire. Ah, j'y pense : que vous a raconté ma fille ce matin ?

Joanne s'apprêtait à lui répondre lorsqu'ils virent Rosie et Adele traverser le jardin vers la maison.

— Bon, reprit Gavin, laissez tomber. Dites-moi juste que vous acceptez de réfléchir à cette offre de mariage.

La jeune femme tourna un regard pensif vers l'horizon et répondit :

— Seulement si vous me promettez une chose.

— Quoi donc ?

— Si la réponse est non, vous l'accepterez sans protester.

— Affaire conclue, répondit-il rapidement.

Trop rapidement. Joanne sentit sa méfiance s'éveiller de nouveau.

82

— Vous ne vous moquez pas de moi, j'espère ?

— Je suis un homme de parole.

— Puis-je ajouter une autre condition ?

— Laissez-moi deviner : je ne dois pas vous mettre de pression ?

— Exactement.

— Jo, si vous êtes embarrassée par ce qui s'est passé hier soir, il n'y a pas de raison. C'était merveilleux. Et...

— Je ne suis pas embarrassée, l'interrompit-elle, se sentant néanmoins rougir comme une pivoine. C'est même un facteur à prendre en compte...

— Un facteur *majeur*, affirma-t-il en levant la main pour effleurer les lèvres de Joanne du bout des doigts.

Elle se mit à trembler.

— Votre mère et votre fille sont presque là, murmura-t-elle.

Baissant la main, il jeta un coup d'œil par la fenêtre et acquiesça.

— D'accord. Vous me préviendrez quand vous estimez que j'exerce une quelconque pression sur vous.

Joanne songea qu'elle aurait dû faire valoir d'autres conditions : ne plus mentionner leur mariage devant des étrangers, s'abstenir de manifester son affection en public, par exemple.

Mais elle n'avait plus le temps.

— Euh..., oui..., bredouilla-t-elle.

— Parfait.

Et il se tourna pour accueillir Rosie et Adele.

Les deux semaines suivantes passèrent à une vitesse confondante. Joanne s'intégrait peu à peu à la vie de

Kin Can et, Dieu merci, Gavin respectait sa promesse de ne pas exercer de pression sur elle.

Il passa en revanche beaucoup de temps à lui parler de son métier, avec une évidente passion. Il lui apprit notamment qu'ils expérimentaient à Kin Can un nouveau système de marquage électronique des moutons.

— Comment ça marche ? demanda-t-elle, curieuse.

— C'est très simple. Une puce stocke les informations importantes telles que le poids de l'animal, les dates des traitements anti-parasitaires, etc. Vous obtenez une carte d'identité complète pour chaque mouton.

— C'est formidable, la science.

Accoudés à la barrière, ils regardaient les bergers, assistés de leurs chiens, répartir les moutons dans différents enclos en fonction de leur taille. L'air, saturé de poussière, résonnait de cris, de coups de sifflet, de bêlements et d'aboiements.

Gavin se tourna vers la jeune femme. Elle portait un jean et une chemise bleue, et le vent soulevait ses cheveux.

— Vous êtes…, commença-t-il.

Il s'interrompit aussitôt et Joanne lui décocha un regard interrogateur.

— Je… j'allais faire une remarque de nature personnelle, expliqua-t-il. Mais si vous préférez que je m'en tienne aux moutons, pas de problème.

— Alors, parlons des moutons, répondit-elle dans un sourire.

— Bien, vous l'aurez voulu. Le diamètre de la fibre est le secret de la qualité d'une laine.

— Vous voulez dire, chaque poil ?

— Oui. Plus ils sont fins, mieux c'est. C'est la raison pour laquelle nous faisons essentiellement du Merinos.

Bien sûr, le climat, l'alimentation, l'environnement en général, sont aussi des éléments très importants. Plus vous allez vers le sud du Queensland, plus la laine est fine. Il y a environ dix millions de moutons dans la région.

Gavin marqua une pause, et enchaîna.

— L'Australie est l'un des principaux producteurs de laine au monde. Un ouvrier expérimenté peut tondre de cent vingt à cent quarante moutons par jour...

— C'est énorme !

— Oui. Mais si vous préférez que...

— Merci, l'interrompit-elle. Je crois que j'ai appris assez de choses pour aujourd'hui.

— Vous êtes sûre ? Parce que...

— J'en suis certaine, Gavin.

— Dans ce cas, puis-je vous dire que vous êtes très séduisante ? ajouta-t-il avec un sourire éclatant.

La jeune femme éclata de rire.

Joanne apprit à conduire un quad. Elle aida au rassemblement des moutons, enregistrant peu à peu les gestes et les ordres à donner pour contrôler les chiens. Et lorsque Case annonça à Gavin qu'elle avait « le métier dans le sang », elle rougit de plaisir.

Rosie lui fit visiter les salles de tonte. La petite fille l'étonna par ses connaissances et son amour évident pour Kin Can. Chaque jour, toutes deux se baignaient dans la piscine chauffée et Joanne, nageuse accomplie, lui inculqua les rudiments de la brasse.

Quand Rosie en fit la démonstration à son père, celui-ci applaudit d'un air approbateur.

Joanne se tourna en riant vers Gavin, et surprit son regard posé sur elle. Elle sentit aussitôt ses seins pointer sous son maillot de Lycra. Heureusement, Rosie venait de disparaître dans la maison, et ils étaient seuls au bord du bassin.

— Eh, je n'ai rien fait ! protesta Gavin comme Joanne lui décochait un regard sévère.

— Vous savez très bien que si.

— Ecoutez, vous paradez en tenue légère sous mon nez, je ne vais tout de même pas fermer les yeux ? C'est *vous* qui me mettez la pression.

Piquée au vif, Joanne préféra retourner dans sa chambre pour s'habiller.

Mais cette nuit-là, comme cela lui arrivait de plus en plus souvent, elle se surprit à rêver de Gavin. Et elle comprit que si elle n'y prenait pas garde, c'était elle qui allait rompre le pacte qu'elle avait exigé de lui…

Après quelque temps, l'empire Hastings n'eut plus de secrets pour Joanne. Kin Can produisait non seulement de la laine mais aussi, comme elle ne tarda pas à le découvrir, des béliers qui se vendaient dans le monde entier, pour des montants astronomiques. Gavin avait également développé un haras et une plantation de canne à sucre, plus au nord.

— Apparemment, vous avez des activités très variées, déclara Joanne en contemplant une carte où les propriétés des Hastings figuraient en bleu roi.

Ils se tenaient dans le bureau de Gavin. Trois semaines après l'agression, cette pièce rappelait toujours à Joanne la violence des événements qu'ils avaient vécus.

— C'est nécessaire, répondit son compagnon en haussant les épaules. Entre la sécheresse et les inondations, on ne sait jamais ce qui peut se passer. Il est vital de

86

diversifier ses activités. Et les marchés fluctuent. Celui du sucre est en pleine dégringolade, par exemple. C'est pour ça que je songe à créer des bassins de pisciculture sur les terrains où nous cultivons la canne à sucre.

— Et l'élevage de chevaux ?

— Ça marche plutôt bien. Il se trouve que j'ai deux étalons très cotés. Les poulains se vendent à des sommes folles.

Tandis qu'il parlait, Joanne l'étudiait. Il était assis nonchalamment dans un fauteuil de cuir noir, derrière son bureau. Il trônait en parfait monarque sur son empire, dont la carte était punaisée au mur face à lui.

Elle fronça les sourcils comme une idée lui traversait l'esprit.

— On vous a formé aux affaires ?

Gavin croisa les mains derrière sa tête avant de répondre :

— On m'y a préparé dès mon enfance. Mais pas de façon théorique. Par la pratique. Mon père a toujours dit qu'il fallait savoir mettre les mains dans le cambouis.

— Vous n'avez donc jamais voulu faire autre chose ?

— Pas vraiment, non.

— Et les services spéciaux dont Tom a parlé ?

Gavin remit ses mains sur le bureau et haussa les épaules.

— C'est une tradition familiale que de faire un passage dans l'armée. Il se trouve que j'avais les qualités requises pour rejoindre les commandos, mais je n'ai jamais eu l'intention d'y faire carrière. Puis mon père est mort. Bien trop jeune, malheureusement. Je suis revenu pour prendre sa suite… et j'y suis toujours.

Il joignit ses mains sous son menton et l'observa avec

intensité. Un silence tendu s'installa, et Joanne finit par s'éclaircir la gorge.

— Bon, je... je vais devoir y aller. Adele m'a promis de poser pour moi.

— Comment ça se passe avec ma mère ?

— A merveille.

— Qu'avez-vous fait de mon portrait ? Celui que vous avez dessiné dans la cabane ?

— Je... je l'ai toujours. Pourquoi ?

— Simple curiosité. Bon, nous nous voyons au dîner ? Je crois qu'il y aura des invités.

Joanne leva les yeux au ciel.

— Quelle vie sociale agitée !

— C'est ma mère.

— Si j'avais su, j'aurais amené davantage de vêtements.

— Je vous trouve toujours superbe.

Il baissa les yeux sur elle, puis les releva, capturant son regard.

— Merci, murmura-t-elle, s'agitant nerveusement sur son siège. Je... euh... Votre mère...

— Oubliez un instant ma mère, déclara-t-il en se levant et en contournant le bureau.

Joanne sentit son cœur s'accélérer. Elle se leva et recula d'un pas.

— Non, Adele m'attend.

Gavin lâcha une bordée d'invectives, puis passa une main dans ses cheveux, comme pour se calmer.

— Ce soir, alors. Après ce maudit dîner. Je crois que vous compliquez inutilement la situation, Joanne. Je ne vois pas de quoi vous avez peur, après tout. Si je vous embrasse, cela ne vous force pas à m'épouser, non ?

— Non. Vous ne pouvez me forcer à rien, même si je suis...

Elle s'interrompit en rougissant, puis reprit :

— Ce que je veux dire, c'est que je n'aime pas vos manières autoritaires.

— Ou alors... Vous êtes peut-être tombée amoureuse de moi ? C'est ce que vous alliez dire ? C'est ce qui vous fait peur ?

— Jo ? Oh, vous voilà, s'exclama Adele, faisant irruption dans la pièce. Je vous attendais dans le salon.

— J'arrive, répondit la jeune femme, réprimant un soupir de soulagement.

— Eh bien, qu'est-ce qui vous retient ? Allez-y, ajouta Gavin avec un sourire inquiétant.

— Qu'est-ce qui lui prend ? interrogea Adele lorsqu'elles se furent toutes deux installées dans le salon.

— Je n'en ai aucune idée, répondit Joanne avec gêne, tout en disposant ses affaires devant elle.

Adele avait réfléchi au genre de portrait qu'elle souhaitait, et elle avait opté pour une solution à l'opposé de celle choisie par Elspeth Morgan.

Elle ne portait donc pas de bijou, à l'exception d'une magnifique perle noire montée en bague, de la taille d'un œuf de pigeon. Pas de tenue de soirée, juste une robe noire se détachant contre le dossier damasquiné de sa chaise. Ses cheveux roux tombaient, au naturel, sur ses épaules.

— Vous savez, Gavin peut parfois se montrer autoritaire, fit Adele.

— Je m'en suis aperçue, oui. Etes-vous bien installée, mademoiselle Hastings ?

Celle-ci lissa sa jupe pourtant impeccable et acquiesça.

— Très bien, merci.

Mais Adele avait manifestement décidé de poursuivre sur le même sujet.

— Parfois, il ne faut pas hésiter à s'opposer à lui. Je ne m'en prive pas, pour ma part.

Joanne, qui avait commencé à dessiner, s'interrompit soudain. Pourquoi Adele lui parlait-elle de s'opposer à Gavin ? Etait-elle au courant des intentions de son fils ?

— D'ailleurs, enchaîna la maîtresse de maison, c'est bien ce que je compte faire sous peu. Au sujet de la scolarisation de Rosie. Vous savez à quel point j'aime ma petite-fille, n'est-ce pas ?

Joanne se détendit un peu.

— Bien sûr.

— Et savez-vous depuis combien de temps je suis veuve ?

Prise de court, la jeune femme secoua la tête.

— Douze ans. J'étais très jeune quand j'ai eu Gavin et Sharon. Je n'ai que cinquante-huit ans, et je suis seule depuis longtemps...

Joanne comprit tout à coup où Adele voulait en venir.

— Vous avez rencontré quelqu'un, c'est ça ?

L'intéressée se pencha vers elle, le visage animé, un grand sourire aux lèvres.

— Oui ! Oh, quel soulagement de pouvoir enfin le dire à quelqu'un ! Nous nous entendons à merveille. Il m'a demandé de l'épouser. C'est pour ça que je suis si tête en l'air, ces derniers temps... Mais voyez-vous, il vit à Brisbane...

— Ah, fit Joanne, qui s'était remise à dessiner. D'où le problème de la scolarisation de Rosie ?

— Eh bien, il est vrai que je ne peux pas l'abandonner comme ça. James, c'est son nom, serait tout à fait d'accord pour qu'elle habite chez nous pendant l'année scolaire.

Joanne dessinait avec de plus en plus de rapidité. L'esprit d'Adele, son âme, étaient en train de se révéler à elle. Le portrait serait réussi, elle le sentait.

— Et Gavin n'aime pas l'idée d'envoyer Rosie à Brisbane, hasarda-t-elle.

— Pas vraiment, non, répondit Adele. Du moins, pas tout de suite. Bien sûr, il ne sait pas pourquoi j'ai tellement envie d'aller m'établir là-bas.

— Vous voulez dire que vous ne lui avez pas parlé de l'homme qui veut vous épouser ? Vous pensez que ça pourrait poser problème ?

— Oh, je suis sûre que oui.

— Pourquoi ?

Adele hésita.

— Eh bien, pour dire les choses de façon directe... il se trouve que je suis une femme riche.

Joanne hocha la tête.

— Vous redoutez que Gavin pense que James en veut à votre fortune ?

— Oui. Il s'imagine que je suis inconsciente et naïve.

— Mais Rosie se plaît beaucoup ici, n'est-ce pas ?

Les épaules d'Adele s'affaissèrent.

— Je sais. Bien sûr, j'aimerais que Gavin trouve une épouse, et une mère pour Rosie. Il a tant à offrir.

— Si tant est que la femme en question sache lui tenir tête !

Toutes deux se mirent à rire. Joanne se penchait pour prendre un nouveau crayon quand Adele reprit.

— Je ne désespère pas de lui trouver quelqu'un. Ce soir, j'ai invité des amis qui ont une fille superbe. Gavin la connaît mais elle a passé plusieurs années à l'étranger. Il va sûrement la trouver changée.

A ces mots, Joanne se figea.

— Vous essayez de jouer les entremetteuses ?

— Exactement ! Et pourquoi pas ? Sarah Knightly pourrait bien être la candidate idéale !

Joanne cligna des paupières, puis baissa les yeux pour se concentrer sur son travail, en espérant de tout son cœur qu'Adele ne s'apercevrait pas de son trouble.

Joanne songea à trouver une excuse pour ne pas assister au dîner. Puis elle décida que voir Gavin dans ce contexte l'aiderait peut-être à reprendre le contrôle de ses émotions. A se mettre dans la tête, une bonne fois pour toutes, que cet homme ne lui était pas destiné...

Le soir venu, elle fut donc présentée à Sarah Knightly, une jeune femme délicate et assez petite qui n'était pas sans évoquer une poupée de porcelaine. Joanne, à côté d'elle, avait l'impression d'être immense.

Sarah était charmante, drôle et intelligente, diplômée d'ingénierie hydraulique. Comme les plats se succédaient, Joanne songeait qu'une union entre Sarah et Gavin serait sans doute une bonne chose pour Kin Can. Tous deux pourraient parler ensemble de la gestion de l'eau, de la qualité de la laine — les Knightly étaient également des éleveurs — et d'un tas d'autres choses encore...

Elle était plongée dans ces réflexions lorsque Sarah,

ses parents et Adele décidèrent de faire un tour dehors, la laissant seule avec Gavin.

— Vous m'avez l'air bien songeuse, observa-t-il en lui tendant un petit verre à liqueur contenant de l'eau de vie.

— Merci. Oui, je pensais que Sarah ferait une femme merveilleuse pour vous.

Son compagnon posa sur elle un regard froid.

— Il se trouve que je n'éprouve pas le moindre désir pour Sarah. Pas plus que pour aucune des autres filles que ma mère essaie de me mettre dans les pattes.

Joanne eut un mouvement de surprise.

— Vous êtes au courant ?

— Bien sûr. Vous croyez que je suis aveugle ?

— Enfin... Elle me paraît être une excellente candidate.

— On dirait pourtant que quelque chose vous gêne...

Joanne s'apprêta à nier, puis soupira.

— Je suis désolée. Les femmes menues et petites me donnent l'impression d'être une amazone, en comparaison.

— Pour ma part, je vous trouve parfaite, répondit-il avec une grande douceur.

Joanne lut un tel désir dans les yeux de Gavin qu'elle frissonna. Elle ouvrit la bouche pour parler, mais il lui coupa la parole d'un geste.

— Plus tard.

— D'accord, dit-elle d'une voix légèrement rauque.

Elle se sentait si émue par l'intensité du regard qu'ils avaient échangé qu'elle sursauta quand les Knightly rentrèrent dans la pièce.

Ces derniers venaient à peine de prendre congé quand le téléphone sonna. Un entrepôt désaffecté avait pris feu à quelques kilomètres de là.

— Tu ne vas pas y aller ! protesta Adele. Avec ton bras...

— Ne t'en fais pas pour mon bras, répondit Gavin. Je n'y vais que pour diriger les opérations. Tu sais que je suis doué pour ça...

— Est-ce que je peux faire quelque chose ? proposa Joanne.

Le regard de Gavin s'adoucit.

— Non merci. Nous avons tous les hommes qu'il faut là-bas. Ils ont juste besoin de moi. Allez vous coucher, toutes les deux. Nous nous verrons demain matin.

Il marqua une pause, puis enchaîna d'un ton hésitant :

— Jo...

— Oui ?

Il sembla hésiter, mais tourna finalement les talons et sortit.

— Il est comme son père, déclara Adele lorsqu'il fut parti. C'est un homme sur lequel on peut compter !

Joanne ne se coucha pas tout de suite. Elle ne pouvait oublier le merveilleux moment d'intimité qu'elle avait partagé avec Gavin, un peu plus tôt. Elle savait que le moment approchait où il lui faudrait enfin prendre une décision.

Malgré son irritation devant ses manières autoritaires, elle devait avouer qu'elle avait très envie d'accepter la proposition de Gavin et de l'épouser. De plus, la vie à

Kin Can correspondait à son esprit artistique et à son goût pour la nature.

Et puis, il y avait Rosie. Elles passaient des heures à dessiner ensemble, et la petite fille était remarquablement douée. Elles s'amusaient beaucoup ensemble, et Joanne était devenue la confidente naturelle de Rosie.

Comment réagirait cette dernière lorsqu'elle serait transplantée dans un environnement qu'elle ne connaissait pas, à Brisbane ? Et qu'elle devrait partager sa grand-mère avec son nouveau mari ? Par ailleurs, Rosie serait peut-être un poids pour le nouveau couple, même si Adele aimait sa petite-fille de tout son cœur.

Pourtant, quelque chose retenait encore Joanne. Etait-ce le fait d'être amoureuse de Gavin alors qu'il ne l'était pas d'elle, et de l'inévitable souffrance que cela engendrerait ?

Il n'y avait qu'une solution. Lui dissimuler ses sentiments réels.

Mais y parviendrait-elle ?

8.

Joanne travaillait dans sa chambre, pour la première
fois satisfaite du portrait qu'elle avait fait d'Adele. Elle
sursauta quand Mme Harper vint la chercher en milieu
de matinée pour lui apprendre que Gavin souhaitait la
voir.

Elle se demanda pourquoi il n'était pas venu la chercher
lui-même. Depuis la veille, elle ne l'avait pas vu, et elle
avait supposé qu'il avait pris un rapide petit déjeuner
avant d'aller travailler. Adele lui avait appris que le
feu n'avait fait aucune victime, mais avait entièrement
ravagé l'entrepôt.

— Il est au hangar de tonte, déclara la gouvernante.

— Bon, j'y vais tout de suite.

— Je vous conseille de passer une veste, mademoiselle Lucas. Il y a du vent. C'est parfois comme ça, ici.
Vous croyez que c'est l'été, mais l'hiver revient pointer
le bout de son nez.

Joanne suivit son conseil et sortit, sans cesser de se
demander pourquoi Gavin la convoquait ainsi dehors,
par une journée pareille.

Elle se dirigea vers le hangar, vivifiée par le vent frais.

De gros nuages filaient dans le ciel, les arbres s'agitaient et la poussière volait, sans qu'elle y prenne garde.

Lorsqu'elle pénétra dans le bâtiment, elle constata qu'il était vide, à l'exception de Gavin qui inspectait une paire de ciseaux électriques. Elle marqua une pause sur le seuil, un peu intimidée par sa mine ombrageuse.

— Quelque chose ne va pas ? demanda-t-elle enfin en s'avançant vers lui.

Il posa les ciseaux et se tourna vers elle. Mais il ne répondit pas aussitôt, se contentant de la dévisager pendant qu'elle essayait de remettre un peu d'ordre dans ses cheveux.

— Gavin ?

— Joanne, il faut que nous prenions une décision, déclara-t-il abruptement. Nous avons assez joué.

— Joué ? Mais c'est de notre vie que nous parlons !

— Absolument. Mais nous n'arrivons à rien.

Il se frotta la joue d'un air las. Il portait un jean et un pull de laine fine, et cette tenue décontractée lui rappela l'homme qui l'avait prise en otage, quelques semaines plus tôt...

— Je... Est-ce qu'il s'est passé quelque chose ? demanda-t-elle. J'ai eu l'impression, hier soir...

— Hier soir, je ne savais pas que ma mère avait l'intention de se remarier.

— Mais quel rapport avec... Ah, je comprends. C'est Rosie.

— Exactement. Si ma mère s'imagine que je vais laisser partir ma fille avec un homme que je ne connais pas, et qui pourrait n'en vouloir qu'à son argent, elle se trompe.

— Vous ne croyez pas que votre mère est capable de faire la part des choses ?

— Vous savez où elle l'a rencontré ? Au cours d'une croisière ! Le terrain de chasse préféré des mercenaires et autres gigolos en quête de veuves esseulées et riches.

— Gavin, vous ne rendez pas service à votre mère avec de tels soupçons.

— Au contraire. C'est justement parce que je l'aime que je me fais du souci pour elle.

Joanne voulut répondre, mais il reprit le premier.

— Quoi qu'il en soit, même s'il s'avère être un homme honnête, je pense que Rosie sera mieux ici.

— Oui, j'y ai pensé.

— Parce que vous étiez au courant ? demanda-t-il, levant un sourcil étonné.

Elle acquiesça.

— Oui. Elle me l'a dit hier pendant sa séance de pose.

— Et ?

— Et quoi ?

— Allons, Jo, pas de ça avec moi. En quoi est-ce que ça a influencé votre interminable débat intérieur ?

— Mais c'est vous qui avez suggéré que nous prenions le temps de réfléchir ! s'exclama-t-elle.

— Mais pas dans le silence et la méfiance !

En ce moment, Joanne découvrait que l'on pouvait aimer et détester un homme en même temps. Bien sûr, il venait de recevoir un choc en apprenant que sa mère allait se remarier. Mais sa réaction n'était pas justifiée. Elle était même inexcusable.

— A l'issue de mon « interminable débat intérieur », comme vous dites, j'en suis arrivée à la conclusion qu'une nurse résoudrait tous vos problèmes.

— Ah oui ? Et que faites-vous du désir que nous

éprouvons l'un pour l'autre ? Après ce que nous avons vécu ensemble, je ne vous aurais pas crue si lâche.

Joanne inspira pour faire disparaître la boule qui s'était formée dans sa gorge et se força à soutenir son regard.

Et s'il avait raison ? ne put-elle s'empêcher de se demander. Eh bien, c'était un motif supplémentaire pour lui cacher ses véritables sentiments. Il savait déjà qu'elle était sensible à son charme, cela suffisait.

— J'ai pris une décision, annonça-t-elle après s'être humecté les lèvres. J'ai décidé que vous feriez un mari convenable.

Il plissa les yeux, et elle enchaîna.

— Laissez-moi vous expliquer. Vous avez besoin d'une mère pour Rosie et ça me va. Je crois qu'elle et moi avons un rapport spécial, parce qu'elle n'a pas de mère et que je sais ce que c'est.

— Continuez.

Il était impossible, à son ton, de deviner ce qu'il ressentait.

— Eh bien, je... j'ai toujours voulu avoir des racines. Sans doute parce que je suis une orpheline. Et puis, pour être honnête... ce mariage m'apporterait la sécurité financière dont j'ai besoin pour dessiner. Sans compter qu'il y a beaucoup de sujets passionnants, ici : les enfants, les animaux, les paysages... Même ce vieux hangar, ajouta-t-elle avec un geste circulaire.

— Je croyais que votre spécialité, c'était le portrait ?

— C'est ce que j'ai choisi pour me faire un nom. Ça n'a jamais été une fin en soi. Si je vous épouse, ça me permettra de faire ce que je veux.

Joanne baissa les yeux.

— Mais il y a une condition, continua-t-elle.

— Laquelle ?

Cette fois, elle perçut une certaine dureté dans sa voix. Elle reprit son souffle et s'accorda quelques secondes pour se donner du courage.

— C'est que nous ne prétendions pas qu'il s'agit d'autre chose que d'un arrangement. Je sais que vous ne retomberez jamais amoureux. Et vous savez que je suis par nature une solitaire.

— Et dans tout ça, vous vous voyez faire l'amour avec moi ?

Joanne ouvrit la bouche, mais Gavin la coupa avec un geste d'humeur.

— Parce qu'à vous entendre, s'écria-t-il, nous pourrions tout aussi bien être en train de parler du prix des œufs.

— Gavin, répondit-elle sans desserrer les dents, depuis tout à l'heure, vous m'insultez. Vous mériteriez que je vous gifle.

Lorsqu'elle voulut joindre le geste à la parole, il lui captura les mains sans effort.

— Hé, doucement.

Puis il l'attira contre lui brusquement, avec un sourire satisfait.

— Ça me rappelle lorsque nous étions dans la cabane... Vous étiez dans mes bras et vous pensiez détester ça...

— C'était le cas et ça l'est toujours ! protesta-t-elle avec véhémence.

— Dans ce cas... Voulez-vous m'épouser, Joanne Lucas ? Et pas seulement à cause de nos intérêts mutuels, mais pour passer de bons moments ensemble ?

Méfiante, elle leva les yeux vers lui sans répondre.

100

— Ce serait un honneur si vous disiez oui, ajouta-t-il, le visage grave.

Il paraissait sincère.

— Vous acceptez mes conditions ? demanda Joanne.

Gavin haussa les épaules.

— Si c'est ce que vous voulez. Vous ne m'empêcherez pas de penser qu'il y a davantage qu'un simple arrangement entre nous. Vous comptez pour moi et ça ne marcherait pas si ce n'était pas le cas.

Joanne sentit sa colère disparaître d'un seul coup. C'était un moment important, elle le sentait. Tous deux avaient été marqués et éprouvés par la vie… Serait-ce suffisant pour faire durer leur couple ?

Mais soudain, cela n'eut plus d'importance. Elle aimait tant Gavin qu'elle n'avait pas le choix. Levant la main, elle effleura sa joue mal rasée du bout des doigts et murmura d'une voix empreinte d'émotion :

— C'est d'accord.

Il poussa un soupir de soulagement et enfouit le visage dans ses cheveux.

Deux semaines plus tard, Adele se tournait vers Joanne en déclarant :

— Vous êtes magnifique, ma chère.

Joanne baissa les yeux sur son tailleur de mariage de soie sauvage. Elle devait reconnaître qu'il la mettait en valeur. Sur le lit, un bouquet de roses jaunes à peine écloses l'attendait.

Rosie, sa demoiselle d'honneur, s'habillait en ce moment avec sa tante Sharon, dans une des nombreuses chambres de la maison que Gavin possédait sur la Côte d'Or.

C'était là que le mariage devait avoir lieu. Joanne, Adele et Rosie étaient arrivées le matin même, et avaient été rejointes par Sharon. Son mari Roger, témoin de Gavin, devait arriver avec ce dernier directement de Brisbane.

La maison était majestueuse, entourée de magnifiques jardins dominant un bras de la rivière Coomera. Une procession de bateaux et de voiliers naviguait en direction de la mer. La villa disposait d'un ponton privé, auquel était amarré un magnifique yacht.

Conformément à la tradition, Joanne n'avait pas vu Gavin depuis la veille. C'était peut-être pour ça qu'elle se sentait aussi fébrile. Prise de vertige, elle s'assit sur le lit.

— Je crois que je panique, confessa-t-elle à sa future belle-mère. Tout ce luxe... Je voulais faire les choses simplement.

Elle baissa les yeux sur l'énorme diamant qui brillait à son doigt.

— Pourquoi ça ? demanda Adele en tirant une chaise pour s'asseoir en face d'elle.

— Je ne sais pas... C'est le second mariage de Gavin.

— Jo, vous n'auriez pas des doutes, par hasard ?

Joanne détourna la tête, et Adele reprit :

— Ecoutez, je sais que tout ça est un peu précipité, mais je vous assure que rien ne pouvait me faire plus plaisir que cette union. Oubliez que c'est un second mariage. Si vous l'aimez comme je crois que vous l'aimez, tout ira bien.

— Mais vous vous rendez compte que c'est un sentiment non réciproque, n'est-ce pas ? murmura Joanne.

Adele eut un sourire rassurant.

— Vous croyez ? Moi, j'ai plutôt eu l'impression qu'il

brûle d'impatience de vous épouser. Soyez naturelle, Jo, et vous serez parfaite.

Avec un pâle sourire, la jeune femme hocha la tête.

— Merci.

Puis elle se leva et lissa une dernière fois sa jupe.

— Je suis prête, annonça-t-elle.

Ce fut une très belle cérémonie. Tout le monde s'accorda pour trouver la mariée resplendissante, et le marié d'une élégance à couper le souffle.

Rosie était adorable dans sa robe jaune et avec ses fleurs dans les cheveux. Et terriblement excitée à l'idée d'avoir une mère... Quant à Adele, elle était radieuse et ravissante dans son tailleur couleur lavande. Même la sœur de Gavin écrasa une larme lorsqu'ils furent déclarés mari et femme par le célébrant.

En quelques heures, Joanne avait pu se rendre compte que Sharon Pritchard, née Hastings, avait la même propension que son frère à donner des ordres, sans en avoir le charisme. Mais son affection pour Gavin était évidente.

La trentaine d'invités se retrouva ensuite dans un salon décoré de fleurs qui ouvrait sur l'extérieur. Case et Mme Harper étaient là, ainsi que Leanne, la meilleure amie de Joanne, et son professeur d'art préféré.

Du côté de Gavin, les invités étaient essentiellement des membres de sa famille, plus quelques amis à qui il avait expliqué, non sans ironie, qu'ils n'auraient plus à jouer les entremetteurs. Adele, pour sa part, n'avait pu s'empêcher d'inviter Elspeth Morgan.

Bien sûr, la surprise et la curiosité étaient à leur paroxysme, et Joanne devinait que les spéculations allaient bon train quant aux motifs de ce mariage précipité.

Personne, en effet, n'avait entendu parler d'elle avant de recevoir les invitations.

Deux des tantes de Gavin étudièrent son ventre avec insistance, puis se retirèrent dans un coin pour discuter à voix basse. Un oncle lui demanda si elle était affiliée aux Lucas de Mount Miriam et, sans lui laisser le temps de répondre, félicita Gavin pour cette union stratégique.

— Tu t'habitueras à ma famille, lui chuchota son mari à l'oreille, quelques instants plus tard. Ils sont un peu bizarres mais sympathiques.

— Qu'est-ce que c'est, Mount Miriam ? lui demanda-t-elle.

— C'est un ranch célèbre. Il appartient à une famille très riche.

— Je t'avais bien dit que tu pouvais trouver un meilleur parti, ironisa-t-elle.

— Jo...

Mais ils furent de nouveau interrompus, et il ne termina pas sa phrase.

Joanne se rendit compte, au fur et à mesure que la journée avançait, que si les Lucas de Mount Miriam étaient une famille richissime, les Hastings n'avaient rien à leur envier. Bien entendu, elle le savait déjà, mais pour la première fois, elle réalisait pleinement qu'elle avait pénétré dans les plus hautes sphères de la société.

Enfin, la fête toucha à sa fin. Tous les invités se retirèrent, y compris Rosie. Gavin et Joanne se retrouvèrent seuls. Ne restaient plus que les employés qui débarrassaient discrètement les tables.

— Dis-moi, fit Gavin en la prenant par la main, et en la menant vers la terrasse qui dominait la rivière, est-ce que tu te sens vraiment mariée, maintenant ?

Avant de répondre, Joanne regarda autour d'elle. La

terrasse et le jardin créaient une atmosphère presque toscane. Des citronniers et de petits cyprès, dans des pots de terre, décoraient la terrasse. Non loin de là, une fontaine murmurait.

Elle se tourna vers lui.

— Ce qui est certain, déclara-t-elle, c'est que je me sens mariée *publiquement*.

— Parfait. C'est ce que je voulais.

Joanne leva un sourcil surpris.

— Pourquoi ?

Gavin fit un pas en avant, puis s'arrêta pour l'observer.

— Pour que toi et tous les autres sachiez que ce mariage est bien réel.

— Tu pensais qu'on en douterait ?

— Moi je n'en doute pas, répondit-il évasivement. A présent, je suggère que nous nous changions et que nous nous détendions.

— Excellente idée. Et puis, je ne t'ai pas encore donné ton cadeau. Ça me donnera l'occasion d'aller le chercher.

— Parfait. En attendant, je vais chiper une bouteille de champagne. A ce qu'il me semble, tu n'en as bu qu'un verre et demi.

— Ça me semblait une bonne idée de rester sobre, dit-elle en riant.

— Plus maintenant, répondit Gavin avec un sourire en coin.

Toutes ses affaires, constata-t-elle, avaient été mises dans la chambre principale de la maison. Refermant la porte derrière elle, Joanne jeta un coup d'œil autour d'elle.

La décoration de la pièce était à la fois sobre et raffinée. Le lit était recouvert d'un magnifique boutis en coton écru et de coussins de soie piqués de perles. A côté, un magnifique paravent attira son attention : sur un fond beige étaient brodés de splendides oiseaux de paradis. De l'autre côté de la pièce, deux fauteuils recouverts de lin étaient placés près d'une table basse. Un impressionnant éléphant de jade, de presque un mètre de haut, se tenait à côté, la trompe levée.

Joanne ne put résister à l'envie de traverser la chambre pour lui toucher la tête.

— Salut, murmura-t-elle.

Tous ses vêtements avaient été rangés dans un dressing attenant à la chambre, et Joanne opta pour un pantalon couleur abricot et une tunique assortie. Elle dénoua ensuite les rubans qui décoraient son chignon, libéra ses cheveux et les brossa jusqu'à ce qu'ils brillent comme de l'or pur. Elle garda en revanche le collier de perles qu'Adele lui avait offert et fouilla la chambre du regard, à la recherche de son cadeau pour Gavin.

Elle le trouva sur une table de chevet. Elle le prit, inspira profondément et sortit enfin de la pièce.

Le moment était venu pour elle de se mesurer au souvenir de sa première femme.

Et de lui apprendre un petit détail qu'il ignorait sur son compte...

Gavin l'attendait sur la terrasse. Il ne s'était pas changé mais avait ôté sa veste et sa cravate, et ouvert son col. Sur une petite table, devant le luxueux canapé où il s'était installé, une bouteille de champagne reposait dans un seau.

— Tu n'as pas beaucoup mangé, dit-il en la voyant regarder une assiette de petits fours.

Joanne tritura son alliance avec nerviosité, se demandant ce qu'il dirait si elle lui apprenait qu'elle n'avait rien pu avaler tant elle était nerveuse. Puis elle se rappela qu'elle avait son cadeau sous le bras.

— Tiens, c'est pour toi, dit-elle, un peu maladroitement. J'espère que ça te plaira.

— Merci.

Il défit le ruban, puis le paquet, et se figea en apercevant son contenu. C'était un ravissant portrait ovale de Rosie, qui regardait par-dessus son épaule. La vivacité et l'intelligence de la petite fille étaient parfaitement capturées.

— Oh, Jo, c'est merveilleux.

— Merci, dit-elle.

Il posa le portrait pour se lever. Il s'approcha d'elle et lui prit délicatement le menton.

— Je t'ai manqué ? demanda-t-il d'une voix douce.

— Je... Pourquoi cette question ?

— Parce que tu avais l'air un peu tendue, aujourd'hui. Je me demandais si c'était parce que tu ne m'avais pas vu pendant vingt-quatre heures.

— Je dois avouer que j'ai eu un moment de panique, concéda-t-elle avec une grimace.

Gavin plissa les yeux.

— Ah bon ?

— Mais ta mère m'a aidée à me ressaisir.

— Vraiment ? Comment ça ?

— Elle m'a dit d'être moi-même, fit Joanne après une légère hésitation.

Son compagnon fronça les sourcils, puis haussa les épaules.

— Je dois avouer que j'ai eu moi aussi quelques moments de panique.

— Tu veux dire que tu t'es demandé si tu avais fait le bon choix ?

— Pas du tout. J'avais peur que *tu* te le demandes.

Joanne sourit légèrement.

— En tout cas, maintenant, c'est fait. Il y a juste une chose que je voudrais te dire...

Des cris venus de la rivière l'interrompirent. Puis une explosion se fit entendre.

— Mais qu'est-ce que...

Gavin réagit immédiatement.

— Reste là.

— Pas question ! protesta-t-elle en lui emboîtant le pas.

En se penchant sur la balustrade, elle aperçut sur la Coomera des gens sauter d'un bateau en feu.

— Je viens avec toi ! s'écria-t-elle.

En un éclair, elle ôta ses perles, sa bague de fiançailles et son alliance, et courut à sa suite. Un Zodiac était amarré près du bateau de Gavin, et elle sauta à bord au moment où il lançait le moteur.

— Nous devons prendre la marée en compte ! lui cria-t-il. En ce moment, elle est descendante, ce qui fait que le bateau va être entraîné vers la mangrove, là-bas. Idem pour les gens à l'eau. Jo, je préférerais que tu restes en arrière.

— Pas question. Je peux t'aider à sortir les gens de l'eau.

— Mais il pourrait y avoir une autre explosion.

— Là, Gavin ! dit-elle en désignant une tête qui venait d'émerger des flots, non loin d'eux.

Ils passèrent l'heure qui suivit à sauver les personnes qui ne savaient pas nager ou presque, et à les déposer sur la jetée. A deux reprises, Joanne plongea pour aider des personnes en difficulté. Ils furent rejoints par d'autres habitants des berges qui avaient eux aussi vu l'explosion, et par plusieurs bateaux de gardes-côtes.

Comme Gavin l'avait prévu, la marée entraîna le bateau en feu vers la mangrove. Un second réservoir explosa, et une pluie de débris retomba sur la rivière. Par chance, personne ne fut touché.

Le sauvetage terminé, et après avoir été interrogés par les pompiers, Gavin et Joanne rentrèrent enfin chez eux. Trempés et couverts de boue, ils s'effondrèrent sur un banc de la terrasse. Ils échangèrent un regard et se mirent à rire.

— Tiens, dit Gavin en lui tendant une coupe de champagne. Il est sûrement éventé et chaud, mais nous le méritons.

— Hum... C'est délicieux... Comment allons-nous faire pour aller nous laver sans mettre de la boue partout dans la maison ?

— C'est très facile.

Il se leva et se dirigea vers une petite porte dans le mur. Quand il l'ouvrit, une série d'interrupteurs apparut. Il en manœuvra quelques-uns, et le sol en teck de la terrasse coulissa soudain, à une extrémité, pour révéler un jacuzzi qui se mit à bouillonner.

Joanne reposa son verre et applaudit.

— Une idée de ta mère ?

— En personne. Ni l'architecte, ni l'ingénieur, ni le plombier qu'elle a quasiment forcés à faire ça ne s'en sont remis, dit Gavin en riant. Elle a tiré l'idée d'une maison de bain japonaise.

— C'est formidable. On n'a qu'une hâte, c'est de plonger là-dedans.

— Ne t'en prive pas.

Il appuya sur un autre bouton, et ce que Joanne avait pris pour un volet coulissa pour révéler un placard plein de serviettes, de peignoirs, de flacons et de savons.

Après une courte hésitation, Joanne ôta ses vêtements sales et, en sous-vêtements, pénétra dans l'eau.

— A mon avis, si tu veux en profiter vraiment, il vaut mieux être nue.

— D'accord, répondit-elle en achevant de se déshabiller, sous l'épaisse mousse qui recouvrait la surface. Est-ce que tu pourrais me passer le savon ?

Il s'exécuta, remplit de nouveau leurs coupes, et se mit en caleçon pour se glisser à son tour dans l'eau.

— Dieu merci, tout s'est bien passé, soupira Joanne en renversant la tête en arrière. Personne n'a été blessé. Ça aurait pu être pire.

— C'est vrai. Tu as été très courageuse, je dois dire.

— Disons que nous faisons une bonne équipe, répondit-elle avec un sourire malicieux. Nous pourrions peut-être monter une affaire ensemble.

— Une sorte de partenariat ?

Elle se mit à rire et but une gorgée de champagne, puis reposa sa coupe et commença de se savonner les bras.

— J'ai une meilleure idée, murmura Gavin.

Il lui prit le savon des mains et se mit à la savonner. Joanne ferma les yeux. Son corps était traversé par des sensations enivrantes. Soudain, les mains de son mari se firent plus pressantes.

— Jo, viens avec moi... Sortons.

— Dans une minute, murmura-t-elle en soupirant de volupté.

— Non, maintenant. Il nous faut un lit.

Elle rouvrit les yeux. Les siens étaient emplis de désir.

— D'accord...

Elle se redressa, et Gavin gémit en voyant son corps nu. Il se pencha sur elle pour embrasser ses seins ruisselants.

— Je croyais que tu étais pressé..., le taquina-t-elle.

— Je le suis.

Ils saisirent deux peignoirs et, main dans la main, traversèrent la maison jusqu'à la chambre principale. Là, sans plus de cérémonie, Gavin envoya le dessus-de-lit voler à terre.

— Jo ?

— Oui ?

— Je t'ai déjà dit à quel point tu étais belle ?

— Oui, mais ça ne me dérange pas que tu le répètes: Et moi, je t'ai déjà dit que tu étais superbe ?

— Tu m'as dit que j'étais « mignon ».

Joanne lui sourit.

— Je me ferai un plaisir de te faire oublier cette offense.

— Je n'attends que ça !

Leur badinage laissa bien vite place à un désir explosif lorsqu'ils s'allongèrent sur le lit. Joanne, à la fois timide et audacieuse, s'abandonna complètement à la volupté

111

que lui procuraient les caresses expertes et les baisers passionnés de Gavin.

Le plaisir, intense, délicieux, les saisit au même moment et les laissa épuisés. Un long instant s'écoula durant lequel aucun des deux ne parla.

— Ouah, souffla enfin Joanne.

— J'ai toujours su que ce serait comme ça.

Elle tourna légèrement la tête pour mieux le voir.

— Comment pouvais-tu le savoir ?

— La façon dont tu as essayé de m'écraser les orteils, une minute après que nous avons fait connaissance... J'ai compris que tu avais un caractère explosif.

Joanne sourit avant de répondre.

— Tu sais ce que je pense ?

— Dis-moi.

— Que tu es insupportable.

— Au contraire, Joanne Hastings. Je suis un excellent psychologue.

Il lui caressa la joue.

— Nous dormons, à présent ?

— Volontiers. Quelle journée...

— Tu es bien installée ?

— A merveille, répondit Joanne d'une voix déjà ensommeillée.

Quelques minutes plus tard, elle dormait à poings fermés.

Gavin la regardait, se remémorant leur conversation juste avant que l'explosion du bateau ne les interrompe.

« Il y a juste une chose que je voudrais te dire... », avait-elle commencé.

Et cette chose, il la savait à présent : Joanne était vierge.

Il devait bien admettre qu'il ne s'y était pas attendu.

Rien dans son comportement ou ses manières ne laissait supposer une chose pareille. De plus, elle avait vingt-quatre ans. Même si elle lui avait dit qu'elle n'aimait pas être embrassée, il n'avait pas imaginé qu'elle puisse être aussi peu expérimentée.

Il l'étudia, dans la lumière de la lampe de chevet. Ses cheveux étaient emmêlés, sa peau laiteuse... Et ses lèvres... Il était tenté de l'embrasser et de la réveiller... De lui faire l'amour de nouveau.

Il ne se retint que de justesse. Quelque chose le tracassait. Comment se faisait-il qu'il avait l'impression de ne pas complètement la connaître ? Qu'elle lui cachait quelque chose ?

Il savait qu'il n'aurait de cesse de découvrir qui était la véritable Joanne Lucas.

9.

Ils passèrent cinq jours en tête à tête.

Cinq jours de rêve, qu'ils occupèrent à nager, faire du bateau, parler, lire et... faire l'amour. Leurs étreintes étaient explosives, incroyablement épanouissantes et satisfaisantes.

Ensuite, les premières complications commencèrent à apparaître. Joanne avait toujours su qu'elle épousait un homme riche mais elle n'avait pas, jusqu'à présent, compris toutes les implications de cette situation.

Elles lui furent brutalement rappelées lorsque Sharon vint leur rendre visite avec ses trois petites filles. Adele et Rosie étaient là elles aussi. Après le déjeuner, Gavin emmena les enfants faire un tour en bateau, laissant les femmes regarder les photos du mariage.

— Regardez, ironisa Adele en désignant Elspeth Morgan, photographiée alors qu'elle dévorait des yeux l'un des oncles de Gavin. On dirait qu'elle va le dévorer tout cru.

— Elle perd son temps si elle s'imagine impressionner l'oncle Garth, déclara Sharon. Il n'aime pas les nouveaux riches.

— Allons, il n'y a pas si longtemps, nous étions nous aussi des nouveaux riches.

Sharon eut un geste vague.

— Au moins, nous savons que la pérennité de notre dynastie est assurée. Enfin, presque.

— Sharon ! fit Adele d'un ton réprobateur.

— Assurée ? fit Joanne en s'arrachant à la contemplation d'une photo de Gavin. Dans quel sens ?

— Eh bien, si tu donnes à mon frère un héritier.

— Ne faites pas attention, Jo, intervint sa belle-mère. C'est ridicule. Sharon, tu peux être aussi agaçante qu'Elspeth Morgan, parfois. Ce n'est pas comme ça que les choses se passent, de nos jours.

Sharon fit la grimace.

— Peut-être, mais tu dois admettre que Kin Can serait un énorme fardeau pour Rosie.

Joanne déglutit avec peine. Parmi les raisons qu'il avait de se marier, Gavin avait-il omis de lui préciser qu'il voulait un héritier ? Et toute la famille Hastings attendait-elle la même chose ?

— Un fils peut aussi dilapider son héritage, rétorqua enfin Adele. Ce n'est pas une garantie.

Sharon haussa les épaules, indiquant qu'elle ne souhaitait pas insister.

— Tout ce que je veux dire, c'est que vous avez été si courageuse dans cette affaire de kidnapping, Joanne, que vous allez sûrement nous faire de beaux garçons !

Joanne, Gavin et Rosie raccompagnèrent leurs visiteuses jusqu'à la grille de la propriété pour leur souhaiter un bon retour. Puis ils remontèrent lentement l'allée de gravier.

— Alors, poisson-chat, fit Gavin à l'intention de sa

fille. Nous avons deux jours avant de rentrer à Kin Can. Qu'est-ce que tu aimerais faire d'ici là ?

— J'adorerais aller à Sea World ! Ils ont des ours polaires ! Je les ai vus quand ils étaient bébés. Tu les as déjà vus, Jo ?

Rosie tourna vers Joanne son visage animé, et la jeune femme secoua la tête.

— Non, jamais.

— D'accord, fit Gavin. Nous irons donc à Sea World demain. Quoi d'autre ?

— C'est tout... Je voulais te demander. Je dois t'appeler « Jo » ou « maman » ?

Joanne jeta un furtif coup d'œil à Gavin, par-dessus la tête de l'enfant, et le vit froncer presque imperceptiblement les sourcils.

— Je crois que Jo sera parfait, répondit-elle après une courte hésitation. Pour le moment, en tout cas.

— Comment voudrais-tu l'appeler *toi* ? intervint Gavin.

Rosie prit une profonde inspiration.

— Tu te souviens, on est allés dire au revoir à ma vraie maman avant ton mariage ?

— Oui ma chérie.

— Eh bien, je me disais que peut-être je ne pouvais pas appeler quelqu'un d'autre « maman » que ma vraie maman... Alors je crois que je préfère Jo, si ça te va.

Joanne sourit, puis caressa les cheveux de Rosie avec affection.

— Ça me va à merveille, ma chérie.

*
* *

— Tu as pensé à nos autres enfants ? demanda Gavin un peu abruptement, tandis qu'ils se préparaient à se coucher.

Joanne s'était enveloppée dans un peignoir de coton et se brossait les cheveux, assise devant une coiffeuse. Elle croisa le regard de son mari, dans le miroir, et sentit son cœur se mettre à battre comme elle se remémorait les propos de Sharon.

— Comment ça, nos autres enfants ?

Gavin s'approcha d'elle, lui prit la brosse des mains, et déclara enfin :

— Eh bien, nous allons fonder une famille, n'est-ce pas ?

— Nous n'en avons jamais parlé.

Il s'immobilisa.

— J'ai supposé que cela allait de soi.

Joanne déglutit avec peine.

— Oui. Mais c'est un peu rapide, non ? A moins que tu essaies de me dire que j'aurais dû encourager Rosie à m'appeler « maman » ?

— Je me demande juste si elle ne se sentira pas un peu rejetée lorsqu'elle sera la seule à ne pas le faire.

— Tu l'as entendue, elle préfère Jo.

— Pour le moment.

— Eh bien elle pourra m'appeler « maman » dès qu'elle se sentira prête. J'essayais simplement d'être prudente. Je sais que c'est un sujet sensible.

— Tu pensais que je verrais une objection à ce qu'elle t'appelle « maman » ?

— Ça m'a traversé l'esprit, oui. Et ce serait naturel. Tes souvenirs…

— Je n'ai pas souvenir de Rosie appelant qui que ce soit « maman ».

117

Pivotant sur son tabouret, Joanne lui reprit la brosse des mains.

— Gavin, il me semble que nous ne sommes pas sur la même longueur d'onde... Qu'est-ce que tu veux, exactement ?

Il s'assit sur le lit, juste en face d'elle. Il avait un air songeur qui étonna Joanne.

— Je pensais juste qu'il serait plus pratique de...

Il baissa les yeux avant de répondre :

— Vois-tu, à cause de la façon dont tout ça s'est passé, je n'ai aucun souvenir de Sasha s'occupant de Rosie.

— Mais... tu as quand même emmené ta fille dire au revoir à sa mère, juste avant le mariage.

— Oui, je pensais que nous en avions tous les deux besoin. Je ne savais pas que ça la marquerait à ce point.

Joanne avait conscience d'entrer en terrain miné. Au cours des cinq derniers jours, elle s'était sentie si proche de Gavin qu'elle en avait presque oublié la raison réelle de leur mariage : Rosie.

Et le jour même où Sharon avait parlé de donner un fils à Gavin, celui-ci abordait le sujet avec elle. Etait-ce une coïncidence ? Une chose était sûre, se dit-elle avec amertume : leur lune de miel était bel et bien terminée. Il l'avait épousée, mais il aurait aussi bien pu l'embaucher ! Apparemment, elle avait un travail à faire, des résultats à fournir.

Il avait affirmé qu'il n'y avait pas que des raisons pratiques à leur mariage, et elle l'avait cru. Mais les choses lui semblaient différentes, à présent.

— Jo ?

Elle cligna des yeux et fit un effort pour revenir à la réalité.

— En ce qui concerne Rosie, déclara-t-elle, je crois que nous devons nous donner un peu de temps.

— Et pour avoir d'autres enfants ?

— Gavin, nous ne sommes mariés que depuis six jours !

Il sourit.

— Je sais. Mais avoir des enfants fait bien partie de nos projets, n'est-ce pas ?

— Tu en doutes ?

— Je ne sais pas. Tu peux être très secrète, parfois...

— Par exemple ?

— Eh bien, par exemple, tu étais vierge...

— Et c'est un problème ? demanda-t-elle, incrédule.

— Bien sûr que non. J'en ai même été honoré, pour tout te dire. Ce que je ne comprends pas, c'est pourquoi tu ne m'en as pas fait part avant.

— C'est ce que j'étais sur le point de faire quand ce bateau a explosé !

— Et après ?

— Eh bien, je n'ai pas trouvé le moment... Enfin, j'avais peur de paraître un peu... maladroite. Et puis, quelle importance ?

— Tu ne comptes donc pas me dire pourquoi tu étais encore vierge à vingt-quatre ans ?

— Disons que... je n'avais trouvé personne avant toi qui me persuade de passer à l'acte.

Gavin fronça les sourcils.

— Ça veut donc dire que notre mariage n'est pas qu'un arrangement pratique, de ton point de vue ?

— Je n'ai jamais prétendu cela.

— C'est pourtant l'impression que tu m'as donnée, ironisa son compagnon.

119

— J'ai le désagréable sentiment d'être dans le box des accusés, s'écria la jeune femme.

— Je ne t'accuse de rien du tout. Je pense juste que le moment est venu d'examiner les sentiments que nous éprouvons.

A cet instant, Joanne fut tentée de lui avouer qu'elle l'aimait. Mais elle se reprit rapidement. Elle ne pouvait pas abattre ses cartes ainsi sans savoir ce que Gavin avait derrière la tête. L'avait-il épousée dans l'espoir de perpétuer son nom ?

Elle se leva et se dirigea vers la fenêtre, d'où elle avait vue sur la rivière et sur les feux clignotants qui réglaient la navigation, et qui semblaient refléter son dilemme intérieur. Vert pour « vas-y, dis-lui la vérité », et rouge pour « un mot de trop et tu es perdue ».

— Je dirai que ce que nous avons vécu jusqu'à présent est merveilleux. Continuons comme ça et essayons de construire quelque chose là-dessus.

Après quelques minutes de silence qui lui parurent durer une éternité, il se leva enfin et vint se placer derrière elle pour l'étreindre. Puis il l'embrassa dans le cou et, lorsqu'elle se sentit faiblir, il la prit dans ses bras et la porta jusqu'au lit pour lui faire l'amour.

Lorsqu'ils retombèrent enfin sur les draps froissés, ivres de plaisir, Joanne réalisa qu'elle venait de vivre leur première crise de couple...

Mais résisterait-elle à la prochaine ?

10.

Joanne se leva, passa un short kaki, une chemise rose et une paire de sandales. Trois mois après son arrivée à Kin Can, le temps s'était considérablement réchauffé.

Gavin était déjà parti. Il avait dû se lever à l'aube pour superviser un rassemblement de moutons.

Tout en prenant son petit déjeuner avec Rosie, Joanne passa en revue la journée à venir.

La petite fille avait récemment adopté un agneau, et elles avaient entrepris de lui construire une maison, suffisamment grande pour qu'elle puisse également abriter ses autres animaux : son chiot, son poney et sa poule.

Joanne se réjouissait de ses relations avec Rosie. Elle continuait de respecter les choix de la fillette, d'éviter de lui forcer la main, et cela semblait marcher. De plus, Joanne appréciait ce rôle de mère. Elle avait d'abord redouté que la petite fille ait du mal à partager son père avec quelqu'un d'autre. Vouloir une mère était une chose, mais comment allait réagir Rosie lorsqu'il lui faudrait effectivement partager Gavin ?

Dieu merci, tout s'était très bien passé. Rosie n'avait manifesté aucune jalousie et s'impliquait à fond dans tout ce que Joanne lui proposait : nager, lire, dessiner ou se promener. Et lorsque la jeune femme sentait que la petite fille avait besoin de l'attention pleine et entière de son père, elle les laissait tous les deux ensemble.

De fait, leur relation se renforçait de jour en jour, et Joanne put en prendre pleinement conscience à la suite d'un événement en particulier.

Rosie s'était débrouillée pour introduire un agneau orphelin dans sa chambre, où tous deux avaient fait des dégâts considérables. Mme Harper en avait été si horrifiée qu'elle l'avait signalé à Gavin. L'animal avait été aussitôt expulsé, mais Rosie s'était montrée si désespérée qu'elle avait accusé son père d'être cruel et insensible. Lorsque celui-ci avait essayé de faire valoir que son chiot était lui aussi interdit dans la maison, elle avait tapé du pied et assuré qu'elle le détestait.

Après cette scène, Joanne était allée discrètement consulter Case, le contremaître : l'après-midi même, un enclos au centre duquel trônait une sorte de cabane avait fait son apparition dans le jardin, juste sous la fenêtre de Rosie. Elle avait emmené cette dernière et son père le visiter, juste avant le dîner, et suggéré que les animaux pourraient y habiter à condition de ne pas pénétrer dans la maison.

Avant que Gavin ait eu le temps de dire quoi que ce soit, Rosie lui avait sauté au cou en déclarant qu'elle était la meilleure maman du monde. Joanne avait été profondément touchée par ce compliment.

Gavin, qui avait observé la scène en silence, avait fini par hocher la tête.

— Je vois.

— Tu vois quoi, papa ? C'est une idée géniale, pas vrai ?

— Je vois que les femmes de ma vie se sont liguées contre moi.

122

Rosie avait glissé sa main dans celle de Joanne et déclaré solennellement :

— Mais nous t'aimons quand même. Je peux aller chercher mes animaux maintenant ?

Son père avait acquiescé, et elle était partie en courant.

— Eh bien, tout va bien entre vous, avait conclu Gavin.

— Pas trop mal.

— Tu as été merveilleuse. Mais tu te rends compte que l'agneau va grandir en croyant qu'il est un chien, et vice versa ?

Joanne sourit en repensant à la scène. Rosie était vraiment une petite fille adorable, pleine d'humour et de fantaisie. Vivre avec elle était une joie.

Elle secoua la tête. Il était vraiment temps de préparer la journée.

D'abord, elle aurait un entretien avec Mme Harper pour planifier les tâches du jour. Elle aurait bien laissé la gouvernante se charger de tout, mais Adele avait insisté pour qu'elle apprenne à gérer le domaine. Sa belle-mère avait ajouté que les hommes de la famille s'imaginaient être aux commandes, mais que c'étaient en fait les femmes qui assuraient le bon fonctionnement de tout ce petit monde.

Joanne avait beaucoup appris d'Adele. Cette dernière savait admirablement s'y prendre avec les nombreuses familles qui vivaient sur le domaine. Elle avait créé un club de poterie, un vidéoclub et un cercle de lecture. Elle avait également suggéré à Joanne de donner des cours d'art. Même si les exploitations étaient distantes les unes des autres, le sens de la communauté était vital.

Kin Can était un modèle de l'industrie lainière, avait

souligné sa belle-mère, et devait le rester pour les acheteurs qui y venaient du monde entier.

— Vous comprenez donc, ma chère, qu'il est important que vous mettiez votre empreinte sur la vie du domaine. Et si vous avez besoin d'aide, pour quoi que ce soit, n'hésitez pas à m'appeler.

Joanne avait acquiescé avec un sourire reconnaissant.

— Comment ça se passe, avec votre futur mari ? J'ai un peu honte que notre propre mariage ait éclipsé vos projets.

Adele avait fait la grimace.

— Oh, j'ai... changé d'avis.

— A cause de ce que Gavin a dit sur...

— Sur les mercenaires et les chasseurs de fortune ? Disons que c'est très compliqué quand il y a tant d'argent en jeu. Mais Gavin a peut-être raison. Il est possible que je me sois laissé emporter.

Elle n'avait rien répondu, se contentant de serrer la main de sa belle-mère dans la sienne.

Joanne soupira. Décidément, elle était complètement perdue dans ses pensées ce matin... Elle songea à sa propre relation avec Gavin. Il ne lui avait pas reparlé de fonder une famille, mais elle y pensait presque tous les jours. D'autant que l'alchimie physique qui existait entre eux, loin de s'atténuer avec l'habitude, paraissait s'être renforcée. Mais il y avait aussi entre eux quelque chose de très troublant et qui lui procurait un vague sentiment de malaise.

Tout en sirotant son café, elle essaya une nouvelle fois de déterminer de quoi il s'agissait. Etait-ce sa peur de ne pas être à la hauteur de Sasha, la première femme de Gavin ?

Ils s'entendaient pourtant à merveille, en dépit de quelques incidents.

Le plus récent remontait à deux semaines. Gavin l'avait emmenée à Brisbane où il avait un rendez-vous professionnel. Ils avaient laissé Rosie chez Adele, et pris une chambre dans un magnifique hôtel sur la rivière. Gavin avait annoncé qu'il serait occupé toute la journée, qu'elle pouvait faire du shopping, mais qu'ils dîneraient ensemble.

Au lieu de faire du shopping, Joanne saisit l'occasion pour visiter une exposition à la Queensland Art Gallery. Puis, succombant à un caprice inhabituel pour elle, elle s'offrit une séance chez une esthéticienne et une coupe chez le coiffeur.

Le soir venu, elle passa sa plus belle robe pour aller dîner dans un restaurant qui dominait la rivière. Gavin la dévora des yeux pendant tout le repas, au point qu'elle ne put se retenir de rire.

— Je suppose que tu préfères ne pas prendre de dessert ? ironisa-t-elle.

— Tu supposes très bien, Jo.

Une fois revenus à leur chambre, Gavin entreprit de la déshabiller lentement. Lorsqu'elle fut nue, il la contempla avec un regard appréciateur.

— Et maintenant ? murmura-t-il.

— Et maintenant, je vais te rendre la pareille.

Elle le déshabilla à son tour et ils tombèrent sur le lit, étroitement enlacés. Ils firent ensuite l'amour de façon urgente, passionnée, presque sauvage.

— C'est incroyable, murmura Gavin tout contre ses cheveux, lorsqu'ils furent enfin apaisés.

Joanne s'agita langoureusement dans ses bras, et soupira.

— Je suis d'accord.

Son mari se redressa sur un coude, puis lui jeta un regard amusé.

— Mais c'était bien ?

— C'était fantastique. Merveilleux.

— Quand...

Il s'interrompit, et une ombre passa dans son regard. Joanne fronça les sourcils. Quelque chose l'avait-il contrarié ?

— Eh bien ?

— Non, rien. Dors, maintenant.

— Gavin...

Joanne hésita avant de reprendre :

— Dis-moi ce que tu as dans la tête.

— Rien du tout.

Et sans crier gare, il se retourna et éteignit la lampe de chevet.

Joanne sentait qu'il s'était produit un changement en lui. Il s'était retiré dans sa coquille, et elle voulait savoir pourquoi.

Elle songea brusquement qu'il pensait peut-être à Sasha. Peut-être avaient-ils fait ce genre de voyage ensemble, auparavant ? Peut-être même avaient-ils logé dans ce même hôtel ? Peut-être luttait-il contre ses souvenirs.

Si c'était le cas, elle ne pouvait rien y faire...

Il resta ensuite distant jusqu'à leur retour à Kin Can. Puis, tout rentra dans l'ordre.

Le premier incident, plus ancien, s'était produit un soir où ils avaient invité trois couples de la région. Tout s'était bien passé jusqu'au moment où l'un des hommes, assez éméché, avait déclaré que Gavin savait diablement bien choisir ses femmes.

Un silence gêné était retombé sur la petite assemblée. L'épouse de l'homme avait pâli et s'était comme ratatinée sur son siège. Gavin avait jeté à son invité un regard meurtrier.

Joanne avait trouvé la force de relancer la conversation mais l'ambiance n'avait plus été la même. Elle avait éprouvé un réel soulagement lorsque la soirée s'était terminée.

— Rappelle-moi de ne plus inviter ce type, avait-elle murmuré, tandis qu'ils saluaient leurs hôtes depuis le seuil.

— Pourquoi ? Apparemment, tu as toute son approbation.

Joanne s'était tournée vers lui, incrédule.

— J'ai trouvé qu'il manquait de tact, avait-elle objecté.

Mais il avait haussé les épaules.

— Je vais me coucher.

Joanne était restée sous la véranda, se demandant pourquoi son mari réagissait ainsi. L'incident lui avait-il rappelé sa première femme ? Elle avait l'impression que l'ombre de Sasha pesait de plus en plus sur elle. Mais pourquoi s'en plaignait-elle ? Pourquoi était-elle si surprise ? Après tout, Gavin l'avait prévenue qu'il n'oublierait pas sa première épouse.

Lorsqu'elle était allée se coucher, elle l'avait trouvé assoupi. Et pour la première fois depuis leur mariage, elle ne s'était pas endormie dans ses bras.

Reposant son café, Joanne soupira en repoussant ces pensées désagréables.

Après s'être occupée de Rosie, elle comptait s'accorder quelques heures pour dessiner. Elle avait en effet entrepris une série de vues de Kin Can, et envisageait d'organiser une exposition. Adele, qui connaissait tout le monde, avait promis de l'aider.

Mais les événements en décidèrent autrement, et elle passa l'après-midi au lit avec une migraine. En fin de journée, elle finit par s'endormir. Lorsqu'elle s'éveilla, Gavin était assis au bord du lit.

— Qu'est-ce qui t'arrive ?

— Ce qui arrive à toutes les femmes une fois par mois.

S'était-elle imaginé la lueur de déception qu'elle lut dans son regard ? Elle disparut en tout cas presque aussitôt.

— Bon, repose-toi. Je te monterai de quoi manger plus tard.

Elle se rendormit. Elle était si fatiguée que tous ses problèmes, en cet instant, lui paraissaient très lointains...

Lorsqu'elle se réveilla, le lendemain matin, elle se sentit bien mieux et elle se prépara rapidement pour se rendre avec Gavin dans l'un des enclos les plus éloignés du domaine, qui nécessitait quelques travaux d'entretien.

Rosie était partie à l'anniversaire d'une de ses amies, dans un ranch voisin, et devait y passer la nuit.

Ils prirent chacun un quad pour se rendre à leur destination. Après avoir travaillé pendant une heure, Gavin étala une couverture sous un arbre et servit du thé fumé dans deux mugs. Mme Harper leur avait également préparé un cake débordant de fruits confits.

— Je vais finir par devenir énorme avec la cuisine de Mme Harper, commenta Joanne en riant.

— Tu es parfaite, répondit son mari, posant sur elle un regard appréciateur. Comment te sens-tu, aujourd'hui ?

— Très bien.

— Il n'y a rien que tu puisses faire contre ces migraines ?

— Prendre la pilule ou avoir un bébé.

Gavin fronça les sourcils.

— Ça veut dire que tu ne prends pas la pilule ?

Joanne posa lentement son mug sur une pierre plate.

— Tu croyais que je la prenais ?

— Eh bien, cela fait trois mois que nous faisons l'amour.

Elle secoua la tête, comme pour s'éclaircir les idées.

— Et tu as dit toi-même que tu ne voulais pas fonder une famille tout de suite, reprit-il. C'est vrai, j'en ai déduit que tu prenais la pilule.

Elle réalisa alors qu'elle ne s'était pas trompée en décelant de la déception dans ses yeux, la veille au soir. Toutes ses craintes refirent alors brusquement surface, et elle bondit sur ses pieds.

— Mais toi, tu as oublié de me dire ce que tu attendais *vraiment* de ce mariage : un fils pour perpétuer ton nom !

Il se leva à son tour, soudain furieux.

— C'est ridicule. Qui t'a mis une idée pareille en tête ? ajouta-t-il d'un ton méprisant.

— Plusieurs personnes, si tu veux tout savoir. Et

129

ton attitude me le confirme, au cas où j'aurais eu des doutes !

Joanne parlait avec véhémence, mais elle se sentait glacée et vidée de toute énergie. Une nouvelle fois, elle se retrouvait en position d'accusée, alors que c'était lui qui lui devait des explications.

— C'est pourtant toi qui as insisté pour faire de ce mariage un simple arrangement, lui rappela-t-il. Sans doute pour partir dès que l'envie t'en prendrait ? C'est ce que tu voulais dire ?

Elle ouvrit la bouche pour nier, mais changea d'avis.

— Perpétuer la dynastie des Hastings ne fait pas partie de mes projets !

— Tu ne veux donc pas d'enfants avec moi ?

— Pas sur commande, non ! Et puis, je suppose que si je ne te donne pas un fils, tu me renverras ?

En un éclair, Gavin franchit l'espace qui les séparait et lui agrippa le poignet.

— Arrête ça tout de suite, ordonna-t-il, la mâchoire crispée. Ça n'a rien à voir et tu le sais très bien !

— Non je ne le sais pas. Et lâche-moi ! Tu me fais mal !

Il s'exécuta, mais son expression restait menaçante.

— Jo...

Sans lui laisser le temps de finir sa phrase, Joanne tourna les talons et courut à son quad. Elle eut le temps de démarrer avant qu'il ne puisse l'en empêcher.

Elle s'éloigna à toute vitesse, les yeux remplis de larmes. Dans sa poitrine, son cœur battait si douloureusement qu'elle avait l'impression qu'il allait exploser.

Une seule chose comptait pour elle, en cet instant :

fuir, s'éloigner de Gavin, la source de cette douleur terrible qui l'écrasait...

Les larmes brouillaient sa vue et elle ne vit pas le kangourou surgir de derrière un amas rocheux. Elle tenta de l'éviter et de freiner au dernier moment, mais elle le percuta malgré tout. Le choc la projeta par-dessus le guidon de son quad.

Le kangourou se releva aussitôt et détala.

Joanne, elle, resta à terre...

— Tout ira bien, Gavin, annonça Tom Watson après avoir examiné Joanne. Elle n'a rien de grave. Elle s'est foulé la cheville et elle est un peu contusionnée, mais il n'y a ni blessures internes, ni traumatisme crânien. C'est un vrai miracle, d'ailleurs. Je vais quand même la faire transporter à Charleville pour des tests complémentaires.

Gavin inspira profondément et se relâcha quelque peu. Au moins, il n'y avait pas de lésion physique grave...

— Quand va-t-elle reprendre conscience ? demanda-t-il.

Tom lui lança un regard perçant.

— C'est difficile à dire.

Gavin ne quittait pas des yeux sa femme, allongée sur le brancard.

— Prépare-toi, ajouta Tom. Tu ferais bien de venir avec moi.

— Oui, allez-y, Gavin, approuva Mme Harper, avec des sanglots dans la voix. Je m'occuperai de Rosie quand elle rentrera.

131

— Où... où suis-je ?

Joanne cligna des yeux. Elle vit Gavin actionner aussitôt la sonnette près du lit. Puis il lui prit la main et la serra dans la sienne.

— Tu es à l'hôpital. Mais tout ira bien. Tu as eu un accident de quad, tu te rappelles ?

— Non...

La porte s'ouvrit et Tom entra dans la chambre. Il tira une chaise pour prendre place près du lit. Avec patience et douceur, il lui posa plusieurs questions pour vérifier qu'elle ne souffrait pas de troubles de la mémoire. En fait, la seule chose dont elle ne se souvenait pas, c'était l'accident.

L'effort finit par l'épuiser, et elle se rendormit.

Gavin en profita pour suivre Tom à l'extérieur de la chambre.

— Y a-t-il un problème ? Pourquoi ne se souvient-elle pas de l'accident ?

— C'est très fréquent, ne t'inquiète pas. Le reste de sa mémoire n'a pas été affecté.

Il marqua une pause, visiblement étonné par le mutisme de son ami.

— Gavin ? Je te dis que tout ira bien. Tu peux me croire, mon vieux. Ecoute, je sais que ça ravive de mauvais souvenirs mais...

— Le problème, coupa Gavin d'un ton sec, c'est que je ne sais pas comment je pourrai jamais me pardonner.

Puis il tourna les talons et s'éloigna dans le couloir.

Deux jours plus tard, Joanne se sentait mieux, même s'il lui semblait avoir été rouée de coups. Les examens avaient confirmé qu'elle n'avait que des blessures superficielles, mais elle devait rester quelques jours encore en observation.

Elle sourit en voyant entrer Tom Watson.

— Eh bien, déclara-t-il d'un ton enjoué, quand vous n'êtes pas aux prises avec des kidnappeurs, vous vous battez avec des kangourous ?

Elle eut un petit rire.

Lorsqu'il fut parti, Joanne ne put s'empêcher de songer à l'ironie de la situation : Gavin avait été soigné dans ce même hôpital lorsqu'il avait été blessé par les kidnappeurs. C'était une histoire sans fin.

Même si elle ne se rappelait toujours pas l'accident lui-même, elle n'avait en revanche pas oublié les événements qui l'avaient précédé. Et si son corps était intact, son cœur n'en était pas moins brisé.

Elle avait tant espéré que Gavin ne l'avait pas épousée uniquement pour offrir une mère à Rosie, ou pour qu'elle lui donne un héritier. Dans le secret de son cœur, elle devait avouer qu'elle avait espéré qu'il l'aimait. Ou qu'il le pourrait un jour...

Elle savait à présent que ce n'était pas le cas.

Trois jours plus tard, Joanne se tenait prête à quitter l'hôpital.

Elle se sentait toujours courbatue, mais le pire était passé. Elle avait encore des bleus et des égratignures, mais avait constaté avec plaisir qu'elle pouvait maintenant poser le pied par terre et marcher.

Psychologiquement, en revanche, c'était une autre affaire. Gavin avait passé beaucoup de temps avec elle ces derniers jours, mais sans jamais faire mention de leur dispute. Il avait été doux et attentionné, et elle se sentait si mal qu'elle lui en avait été reconnaissante.

Aujourd'hui, cependant, c'était différent. Dans moins d'une demi-heure, son mari la ramènerait à Kin Can...

Que se passerait-il alors ? Pourrait-elle supporter davantage cette mascarade, cette comédie de mariage ?

Elle tourna la tête vers la fenêtre. Il pleuvait, comme il avait plu tous les jours de son séjour à l'hôpital.

Gavin s'arrêta à la porte de la chambre de Joanne, et l'observa sans qu'elle en ait conscience.

Ses magnifiques cheveux étaient attachés en queue-de-cheval et sa silhouette longiligne était soulignée par un haut noir et un pantalon de coton gris. Elle était assise sur le lit, le visage tourné vers la fenêtre, une évidente raideur dans les épaules.

A quoi pensait-elle ? se demanda-t-il. Etait-elle toujours en colère contre lui ? Envisageait-elle de le quitter ?

Elle était pâle. Une égratignure était encore visible au coin de son menton, et ses mains étaient crispées sur ses genoux, comme si elle souffrait. Gavin ferma les yeux et se maudit une nouvelle fois.

Puis il reprit le contrôle de lui-même.

— Jo ? murmura-t-il.

La jeune femme sursauta et se retourna, les yeux écarquillés.

— Je... je ne t'avais pas entendu, bredouilla-t-elle.

— Je viens d'arriver. Comment te sens-tu ?

— Bien.

Et elle le fixa comme si elle attendait désespérément quelque chose de lui.

— On y va ? Il y a un léger changement de...

— Gavin, il faut que nous parlions ! J'ai besoin de savoir où nous en sommes !

— Ce n'est ni le lieu ni le moment, répondit-il avec calme. Et puis, tu n'es pas encore remise.

— Je suis assez remise pour parler ! répliqua la jeune femme. Je ne suis pas une poupée de porcelaine, contrairement à ce que tu crois.

— Jo, nous avons un voyage un peu fatigant devant nous, je suggère donc que nous parlions quand nous serons à la maison. Je t'attends dehors.

Sans attendre sa réponse, il empoigna sa valise et sortit.

11.

Joanne fut surprise en voyant Gavin se diriger vers un des 4 x 4 de Kin Can.

— Désolé, nous devons y aller en voiture.

— Il y a un problème ?

— Le Warrego est en crue. L'avion n'est pas disponible parce qu'il a servi à emmener une femme enceinte à l'hôpital. Et tous les hélicos de la région sont actuellement en mission de ravitaillement ou de secours. J'ai mis des coussins sur le siège pour le rendre plus confortable.

— Merci.

Joanne s'installa en prenant soin de ne pas se faire mal, et attacha sa ceinture.

— Comment ça va, à Kin Can ? demanda-t-elle.

Gavin mit le contact et se dirigea vers la sortie du parking.

— Pas trop mal, répondit-il. Les accès principaux ne sont pas inondés, mais nous avons dû déplacer les moutons. Nous avons eu de la chance par rapport à d'autres ranchs.

— C'est si sérieux ?

— Assez, oui. Je t'aurais bien laissée un jour de plus à l'hôpital mais ils avaient besoin de tous les lits disponibles. Il y a eu pas mal d'accidents avec les inondations. Et ça n'est pas fini.

— Je n'avais pas réalisé.

— C'est normal. Tu avais d'autres choses en tête.

Joanne baissa les yeux.

— Gavin, à ce sujet...

Mais il la fit taire d'un geste, en désignant la radio où passait un bulletin météo. En entendant les nouvelles, il lâcha un juron.

— La route principale est coupée. Nous allons devoir faire un détour.

— Peut-être que nous devrions rester à Charleville, proposa-t-elle.

Mais son mari fit la grimace et secoua la tête.

— Il ne doit pas y avoir une seule chambre de libre. Et le Warrego monte si vite que même Charleville pourrait être touchée. Ne t'en fais pas, nous allons au ranch.

Ils roulèrent un moment sans rien dire. Soudain, Joanne aperçut sur sa droite des chevaux bloqués dans un enclos inondé.

— Nous ne pouvons pas les laisser là ! s'exclama-t-elle.

Gavin jeta un coup d'œil aux animaux apeurés et soupira.

— Non.

Il arrêta le 4 x 4 sous un arbre et coupa le contact.

— Je vais ouvrir la clôture. Reste là.

Mais Gavin n'avait pas de pince et l'eau montait vite. Au bout de dix minutes, il était toujours aux prises avec le fil barbelé.

Joanne finit par descendre à son tour. La pluie, lourde et dense, tombait de façon ininterrompue. Il était difficile de voir à plus de quelques mètres. Elle rejoignit son mari pour l'aider.

— Quelle idée de faire un enclos à chevaux en fil barbelé, grommela-t-il.

Ses mains étaient égratignées et il saignait, mais il ne ralentissait pas.

— J'ai presque fini...

— Où vont aller les chevaux ? demanda Joanne avec anxiété.

— Ils devraient remonter la route. Ils ont un instinct de survie très développé. Bon sang, je n'arrive pas à croire que je transpire alors qu'il pleut des cordes... Ah, ça y est !

Il ouvrit enfin la porte. Les chevaux sortirent au galop, prenant aussitôt, comme il l'avait prévu, la direction de Charleville.

— Et ils ne prennent même pas le temps de nous remercier ! ironisa Gavin.

Joanne ne put s'empêcher de sourire. Mais elle sentit son sens de l'humour s'envoler lorsqu'elle s'aperçut, en regagnant la voiture, que l'eau arrivait maintenant de toutes parts.

— Je crois que notre bonne action va nous coûter cher, fit remarquer Gavin en grimaçant. Ecoutons le bulletin météo.

Celui-ci n'était pas bon. L'eau montait partout dans la région. Il éteignit la radio et tapa du poing sur le volant.

— Je suis complètement stupide. Nous ne pouvons plus atteindre Kin Can, à présent.

— Nous ne pouvions pas abandonner ces pauvres bêtes...

— Le problème, c'est que nous nous sommes mis en danger à leur place. Bon, je vais appeler du secours.

Il enclencha la CB et demanda à être mis en contact avec les services de secours. Il donna ensuite leur position au pilote d'un hélicoptère, puis démarra le 4 x 4. Il le manœuvra de façon à se rapprocher de l'arbre.

— Seigneur, murmura Joanne en jetant un coup d'œil par la fenêtre.

L'eau montait à une vitesse impressionnante.

— Fais exactement ce que je te dis de faire, déclara Gavin. Nous allons monter sur le toit.

Avec difficulté, Joanne s'extirpa du véhicule en passant par la fenêtre. Chaque mouvement la faisait souffrir mais elle se concentra sur l'objectif pour ne pas céder à la douleur. Une fois qu'ils furent tous les deux sur le toit, Gavin lança une corde autour d'une branche de l'arbre et se hissa tel un chat.

Arrivé en haut, il noua solidement la corde autour de la branche.

— C'est bon. A toi maintenant ! Attache la corde autour de ta taille, et rejoins-moi.

— Je ne peux pas ! protesta-t-elle. C'est trop dur !

— Jo, tu peux y arriver. Aide-toi de tes pieds. Utilise toutes les aspérités de l'écorce. Et n'aie pas peur de glisser, je tiens la corde.

Joanne hésitait. Elle se sentait épuisée. Mais un coup d'œil en contrebas lui indiqua que l'eau léchait à présent les portes du véhicule. Elle mit ses mains contre l'arbre et, aussitôt, elle sentit la corde se tendre.

Lentement, douloureusement, elle commença l'ascension. Elle progressait centimètre par centimètre, encouragée par Gavin. Mais soudain, à bout de forces, elle s'immobilisa. Elle n'en pouvait plus...

— Jo, attrape ma main !

Elle leva les yeux et vit que Gavin s'était allongé sur la branche.

— Je... je ne peux pas, haleta-t-elle.

— Si, tu peux.

— Non, je...

— Jo, écoute-moi. Je t'aime. Je t'aime depuis notre rencontre.

— *Quoi* ?

— Je voulais te le dire plus tard, à la maison. C'est la vérité. Allez, encore quelques centimètres !

Joanne était si stupéfaite qu'elle en oublia un instant la situation plus que délicate dans laquelle elle se trouvait.

— Mais... mais tu as été si...

— Je t'ai dit que j'étais un mauvais perdant !

— Je sais que tu ne peux pas l'oublier, Gavin...

— C'est *toi* que j'ai peur de perdre, tu ne comprends pas ? Je t'en prie... Encore quelques centimètres... Tu peux y arriver !

Elle n'aurait su dire où elle trouva la force, mais elle parvint à reprendre son ascension. Bientôt, la main de Gavin agrippa la sienne. Avec une force impressionnante, il la hissa jusqu'à lui, juste au moment où le courant emportait le 4 x 4.

— Qu'est-ce que... Qu'est-ce que tu as dit ? hoqueta-t-elle, hors d'haleine. J'ai peur d'avoir mal entendu.

— Je t'aime. J'ai eu l'impression de devenir fou, ces trois derniers mois, à me demander si tu m'aimerais toi aussi un jour.

Joanne ouvrit les lèvres pour répondre mais, avant qu'elle puisse dire un mot, ils entendirent l'hélicoptère

140

approcher. Gavin leva les yeux, puis les baissa vers l'eau qui bouillonnait autour du tronc.

— Dieu merci, soupira-t-il. C'était moins une.

— Je n'ai jamais rien vu de tel, leur dit le pilote de l'hélicoptère, criant pour se faire entendre par-dessus le bruit des rotors. Si ça peut te consoler, Gavin, Charleville et Cunnamulla sont aussi en état d'alerte.

— Et Kin Can ?

— J'ai peur que les nouvelles ne soient pas très bonnes.

— Rosie ? fit aussitôt Joanne.

— Ne t'inquiète pas, répondit Gavin, elle est à Brisbane.

Il la serra contre lui, puis demanda au pilote :

— Où allons-nous ?

— A Roma. C'est encore sec, là-bas, même si la Mitchell est en train de monter. Mais je ne peux pas vous emmener plus loin. Il faut que je refasse le plein et que je reparte. J'ai des dizaines d'urgences qui m'attendent.

— Tu peux me déposer à Kin Can en chemin ? cria Gavin.

— Si tu veux.

Gavin se pencha vers sa femme.

— Jo, je vais envoyer quelqu'un te chercher à Roma et t'amener à ma résidence sur la Côte d'Or. En attendant, je dois me rendre à Kin Can. Tu comprends ?

— Oui. Mais fais attention.

— Ne t'en fais pas pour moi. Pense plutôt à toi. Bon sang, j'ose à peine imaginer comment tu dois te sentir ! A peine sortie de l'hôpital et te voilà obligée de grimper aux arbres.

— Tout ira bien !

Elle se blottit contre son épaule, puis leva les yeux vers lui en souriant.

— Ma vie était bien morne avant que je te rencontre…, dit-elle d'un ton taquin.

Gavin se mit à rire et lui embrassa le bout du nez.

— Des kidnappeurs, des bateaux qui explosent, des accidents de quad, des inondations… Notre couple est né sous le signe de l'action !

Elle se mit à rire à son tour, et il la serra contre lui.

A son arrivée à Roma, Joanne trouva Adele qui l'attendait. Elle était venue la chercher en voiture pour la ramener à la villa de la Côte d'Or. A leur arrivée, sa belle-mère insista pour appeler un médecin. Joanne protesta qu'elle allait bien, mais elle finit par accepter d'être examinée pour apaiser les inquiétudes de sa belle-mère.

— Vous allez bien, en effet, lui confirma le médecin. Vous avez de nouvelles égratignures, mais rien de grave. Je vous suggère cependant de vous reposer un peu dans les jours qui viennent. Vous avez eu votre dose d'aventures.

Le médecin parti, Adele l'incita à aller se coucher.

— Tu dois absolument te reposer.

A la fois épuisée et nerveuse, Joanne hésitait, sans trop savoir quoi faire.

— Je serai là si vous avez besoin de quoi que ce soit, reprit Adele. Tenez, pourquoi ne prendriez-vous pas un bon bain dans le jacuzzi ? Tout le monde m'a dit que j'étais folle de l'avoir fait construire. Au moins, il aura servi à quelque chose !

142

Joanne ouvrit la bouche pour lui répondre qu'il avait déjà servi, mais se ravisa. Elle décida de faire ce qu'Adele lui avait conseillé, et elle prit un long bain relaxant. Puis, elle alla enfin se coucher.

Elle s'endormit immédiatement mais se réveilla tôt le lendemain matin, l'esprit en ébullition.

Avait-elle rêvé ? Gavin lui avait-il bien dit qu'il l'aimait ? Etait-ce une hallucination due à son état de faiblesse ? Et si ce n'en était pas une, n'avait-il pas dit cela seulement pour l'encourager à grimper dans l'arbre ?

Elle regarda la lumière qui filtrait à travers les rideaux, et se remémora leur conversation, juste avant son accident de quad. Puis elle songea qu'il n'avait pas voulu parler de leur mariage quand il était venu la chercher à l'hôpital.

Et elle avait beau tourner le problème dans tous les sens, elle ne se sentait pas très optimiste...

Joanne continua de se torturer l'esprit pendant le reste de la journée. Son corps, qu'elle avait mis à rude épreuve, la faisait également souffrir.

Adele insista pour rester avec elle, lui assurant que Rosie était avec Sharon et que sa petite-fille s'entendait très bien avec ses cousines.

Le surlendemain, lorsque Joanne se sentit un peu mieux, elle suggéra à Adele de la laisser seule. Ils venaient de recevoir des nouvelles de Kin Can, où tout le monde allait bien, même si la majorité du domaine était sous l'eau.

— C'est le genre de chose qui arrive, répondit Adele avec philosophie. Vous savez, Charleville a bien failli disparaître lors de la dernière grande inondation. C'est à cause de la mousson venue du nord. La vie dans le bush australien n'a jamais été facile. Et pour répondre à votre question, non, je ne vais pas vous laisser seule.

— Mais tout ira bien. Je...

Joanne s'interrompit. Elle plissa les yeux et demanda :

— Ce ne serait pas Gavin qui vous aurait dit de veiller sur moi ?

Adele grimaça.

— Si. J'ai des ordres stricts. Je dois rester avec vous.

— C'est...

Mais elle était trop désemparée pour terminer sa phrase.

— Oui, c'est typique de Gavin, je sais. Et j'ai également pour mission de tenir Sharon à distance. Apparemment, les remarques qu'elle a pu faire devant vous vous ont troublée.

Joanne s'enfonça dans son siège sans rien dire.

— De toute façon, renchérit Adele après un silence, après ce que vous avez subi, je m'en voudrais de vous laisser seule ici. Il va donc falloir vous habituer à moi !

— Ce n'est pas ça, protesta Joanne. C'est juste que... je ne voudrais pas vous retenir. Vous avez votre propre vie et...

— Ne dites pas de sottises... Et puis, j'ai une bonne nouvelle pour vous. J'ai eu un coup de fil d'une de mes amies ce matin. Elle dirige une galerie assez réputée. Ça l'intéresserait d'organiser une exposition de vos œuvres.

Joanne écarquilla les yeux puis sourit.

— Une chose est sûre, dit-elle en riant, je ne pourrais pas rêver d'une meilleure belle-mère !

144

— C'est sûr ! Et je vous promets que dès que Gavin reviendra, je disparaîtrai...

Deux jours plus tard, il était de retour.

Le soir tombait. Adele avait préparé un dîner léger et informel et toutes deux s'étaient installées sur la terrasse avec une bouteille de vin, de petits sandwichs au saumon, des quiches, deux assiettes de sashimi et un bol de crevettes.

Joanne avait mis un pantalon de velours soyeux et un petit haut de soie.

Elle se penchait pour attraper son verre quand Gavin apparut sur la terrasse. Les deux femmes furent prises de court, car elles n'avaient reçu aucun message de lui depuis la veille.

— Eh bien, quelle surprise ! s'exclama Adele en se levant pour l'accueillir. Je suppose que les choses vont mieux du côté de Kin Can ?

— Oui. L'eau est finalement redescendue aussi vite qu'elle est montée. Bonsoir, Jo.

— Bonsoir...

Posant sa serviette, elle se leva à son tour mais elle ne put rien dire de plus. La joie et l'appréhension la rendaient muette. L'allure de Gavin lui rappelait de plus leur première rencontre et ajoutait à son trouble : sa chemise kaki avait un trou au coude, son jean était déchiré et ses bottes étaient maculées de boue séchée.

— Quelle est l'étendue des dégâts ? s'enquit Adele.

— Le seul endroit épargné est la maison elle-même...

Gavin sourit lorsque sa mère poussa un soupir de soulagement et il enchaîna :

145

— Les pertes en bétail sont plus importantes que ce que nous pensions. Nous avons fait de notre mieux, cependant.

Son regard revint sur Joanne, qui se tenait debout derrière la table, incapable de bouger. Il lui sourit.

— Je crois que je ferais bien d'aller prendre une douche. Je n'ai pas eu le temps de me changer. Une place s'est libérée en dernière minute dans l'avion et j'ai sauté dessus. Si tu veux bien m'excuser, Jo ?

— Bien sûr, répondit-elle aussitôt, recouvrant l'usage de la parole. Nous allons te préparer de quoi manger en attendant…

— Ce ne sera pas utile, intervint Adele. Je m'en vais tout de suite. Gavin prendra ma part.

— Mais vous n'avez rien mangé et…

— Sharon me préparera quelque chose, répondit sa belle-mère d'une voix enjouée. Et comme vous le savez, je n'ai rien à emporter. J'ai juste besoin de mon sac à main et de mes clés de voiture.

Adele avait en effet pour habitude d'avoir tous ses vêtements et cosmétiques en triple exemplaires. Ainsi, elle avait tout à disposition à Kin Can, à Brisbane et dans la maison de la Côte d'Or.

— Soyez sages, tous les deux, fit Adele en clignant de l'œil.

Puis elle s'éclipsa, les laissant tous deux se dévisager dans un silence embarrassé. Gavin fit un pas en avant, mais sembla soudain se rappeler l'état dans lequel il se trouvait. Il regarda ses mains sales et grimaça.

— Donne-moi cinq minutes.

Joanne acquiesça et se rassit. Le soleil se couchait sur la rivière et les mangroves, baignant le paysage d'une lueur dorée. Mais pour la première fois, elle ne se sentait pas d'humeur à admirer la nature. Ses peurs et ses doutes la tétanisaient...

— Jo ?

Elle leva la tête et vit que Gavin était revenu, vêtu d'un jean propre et d'un T-shirt blanc. Il avait toujours sa barbe de trois jours, mais il sentait bon le savon.

— Eh bien, tu as été rapide...

— Désolé de ne pas m'être rasé mais je crois que je me suis déjà absenté trop longtemps.

Il prit la bouteille de vin et servit deux verres. Il lui en tendit un.

— Tiens, on dirait que tu en as besoin.

— Merci...

Il s'assit enfin, passant une main dans ses cheveux humides.

— Quel est le problème, Jo ? demanda-t-il.

Incertaine, Joanne hésita avant de répondre :

— C'est... c'est à propos de notre dispute... et de ce que tu m'as dit l'autre jour.

Avec un soupir, il s'assit en face d'elle.

— Une bonne fois pour toutes, Jo, je n'ai pas un instant pensé aux enfants en t'épousant. Encore moins à la perspective d'un héritier mâle.

— Mais... tu as dit que tu voulais fonder une famille. Que c'était très important pour toi...

— Et quoi de plus naturel ? Ça n'a rien à voir avec le fait d'avoir un fils ou de « perpétuer la dynastie ». Ça me semblait juste le meilleur moyen de te garder.

— Je... je ne comprends pas...

— Moi non plus, je n'ai pas compris, marmonna Gavin avec une grimace. Ça ne me semblait pas possible de tomber amoureux en quelques heures seulement. Surtout que je pensais que cela ne m'arriverait jamais plus.

— Et alors ? demanda Joanne d'une voix timide.

— Eh bien, contrairement à ce que je croyais, le souvenir de Sasha ne m'empêche pas d'aimer de nouveau. Au contraire. Et j'étais trop stupide pour le comprendre. Mais j'avais si peur de te perdre, toi aussi. Je ne pouvais pas m'empêcher de me demander si tu me laisserais tomber, une fois que tu aurais obtenu ce que tu voulais de ce mariage. C'est pour ça que je voulais fonder une famille. Pour te retenir.

— Et tu as cru préférable de me cacher tes sentiments ?

— Oui. J'avais peur qu'ils ne te fassent fuir.

— C'est la même chose pour moi.

Il fronça les sourcils, et Joanne se hâta d'expliquer :

— Moi aussi j'ai eu peur de te dire la vérité. Je suis tombée amoureuse de toi dès les premiers instants. Mais j'ai tout fait pour le cacher...

— Mais pourquoi ?

— Parce que c'était si intense... J'avais peur que ça ne soit pas réciproque. Moi aussi j'ai perdu les gens que j'aimais. A commencer par mes parents. Et puis, j'avais juré de ne dépendre de personne...

Elle hésita, puis décida de tout lui confier. Avec un immense soulagement, elle lui raconta enfin ce qui lui était arrivé quand elle avait quinze ans.

— Oh, Joanne, murmura-t-il en lui caressant la joue.

— Mais tu m'as fait oublier tout ça. C'est presque comme si ça n'avait jamais existé.

— Presque ?

— Ces mauvais souvenirs me sont revenus le soir où nous nous sommes disputés au sujet de la pilule. J'avais l'impression que tu ne me croyais pas… C'est pour ça que je me suis mise en colère.

Gavin se leva et vint s'agenouiller près d'elle.

— Je t'aime, Joanne Lucas. Je t'aime éperdument. Veux-tu m'épouser ?

— Mais… nous sommes déjà mariés ! dit-elle avec un rire ému.

— Je veux t'épouser de nouveau. Et cette fois, plus de secrets, plus de non-dits, plus de doutes.

— C'est oui. Mille fois oui.

Ils scellèrent d'un baiser cette promesse de bonheur.

Lorsqu'ils revinrent à Kin Can, quelques jours plus tard, Joanne montra pour la première fois à son mari le portrait qu'elle avait fait de lui. Elle l'avait représenté assis, torse nu, son fusil dans les mains.

— C'était un secret. J'y travaille depuis que tu m'as demandée en mariage.

Il étudia la peinture en silence. La douce lueur du poêle, qui illuminait l'intérieur de la cabane où ils se trouvaient, donnait à Joanne l'impression d'être projetée hors du temps.

— Tu comptes l'intégrer à ton exposition ? demanda-t-il enfin.

— Oh, non. Remarque, c'est dommage. J'ai l'impression que c'est ma meilleure œuvre.

— Qu'est-ce que tu veux en faire ?

— L'accrocher dans notre chambre pour pouvoir le regarder quand tu ne seras pas là. Mais tu ne m'as pas dit ce que tu en pensais ?

De nouveau, il baissa les yeux sur le portrait.

— Je le trouve magnifique.

— Artistiquement ou à cause du sujet ? le taquina-t-elle.

— Les deux.

— Tu n'es pas obligé de dire ça pour me faire plai-sir.

— Non. C'est sincère. Ça me ramène tout droit au jour de notre rencontre.

Joanne sourit.

— Merci.

— Quant au sujet, je ne sais pas s'il est séduisant, mais tant que c'est l'homme de tes rêves, ça me convient parfaitement...

Elle se mit à rire, puis glissa sa main dans la sienne.

— C'est bien l'homme de mes rêves. Et je vais te le prouver dès maintenant...

Le nouveau visage de la collection Or

◆

AMOURS D'AUJOURD'HUI

Afin de mieux exprimer sa modernité et de vous séduire encore davantage, votre collection Or a changé de couverture et de nom depuis le 1er mars 1995.

Rassurez-vous, les romans, eux, ne changent pas, et vous pourrez retrouver dans la collection **Amours d'Aujourd'hui** tous vos auteurs préférés.

Comme chaque mois, en effet, vous y attendent des héros d'aujourd'hui, aux prises avec des passions fortes et des situations difficiles...

COLLECTION
AMOURS D'AUJOURD'HUI :
Quand l'amour guérit des blessures de la vie...

Chère lectrice,

Vous nous êtes fidèle depuis longtemps?
Vous venez de faire notre connaissance?

C'est pour votre plaisir que nous avons
imaginé un rendez-vous chaque mois
avec vos auteurs préférés, vos
AUTEURS VEDETTE dans les
collections Azur et Horizon.

Les AUTEURS VEDETTE vous
donneront rendez-vous pour de
nouveaux livres vedette.

Pour les reconnaître, cherchez
l'étoile... Elle vous guidera!

Éditions Harlequin

HARLEQUIN

LE FORUM DES LECTEURS ET LECTRICES

CHERS(ES) LECTEURS ET LECTRICES,

VOUS NOUS ETES FIDÈLES DEPUIS LONGTEMPS?

VOUS VENEZ DE FAIRE NOTRE CONNAISSANCE?

SI VOUS AVEZ DES COMMENTAIRES, DES CRITIQUES À FORMULER, DES SUGGESTIONS À OFFRIR, N'HÉSITEZ PAS... ÉCRIVEZ-NOUS À:
LES ENTERPRISES HARLEQUIN LTÉE.
498 RUE ODILE
FABREVILLE, LAVAL, QUÉBEC.
H7R 5X1

C'EST AVEC VOS PRÉCIEUX COMMENTAIRES QUE NOUS ALLONS POUVOIR MIEUX VOUS SERVIR.

DE PLUS, SI VOUS DÉSIREZ RECEVOIR UNE OU PLUSIEURS DE VOS SÉRIES HARLEQUIN PRÉFÉRÉE(S) À VOTRE DOMICILE, NE TARDEZ PAS À CONTACTER LE SERVICE D'ABONNEMENT; EN APPELANT AU (514) 875-4444 (RÉGION DE MONTRÉAL) OU 1-800-667-4444 (EXTÉRIEUR DE MONTRÉAL) OU TÉLÉCOPIEUR (514) 523-4444 OU COURRIER ELECTRONIQUE: AQCOURRIER@ABONNEMENT.QC.CA OU EN ÉCRIVANT À:
ABONNEMENT QUÉBEC
525 RUE LOUIS-PASTEUR
BOUCHERVILLE, QUÉBEC
J4B 8E7

MERCI, À L'AVANCE, DE VOTRE COOPÉRATION.

BONNE LECTURE.

HARLEQUIN.

VOTRE PASSEPORT POUR LE MONDE DE L'AMOUR.

ROUGE PASSION

De fiévreuses histoires d'amour sensuelles!

De provocantes histoires d'amour passionnées et romantiques qu'on lit d'une seule traite. Aventureuses, parfois humoristiques, et sensuelles, elles mettent en vedette des hommes et des femmes d'aujourd'hui.

ROUGE PASSION... trois nouveaux titres chaque mois.

COLLECTION
HORIZON

Des histoires d'amour romantiques qui vous mènent au bout du monde!

Découvrez la passion et les vives émotions qu'apportent à la Collection Horizon des auteurs de renommée internationale!

Captivantes, voire irrésistibles, ces histoires d'amour vous iront assurément droit au coeur.

Surveillez nos trois nouveaux titres chaque mois!

GEN-H-R

HARLEQUIN

COLLECTION
ROUGE PASSION

- • Des héroïnes émancipées.
- • Des héros qui savent aimer.
- • Des situations modernes et réalistes.
- • Des histoires d'amour sensuelles et
  provocantes.

LAISSEZ-VOUS TENTER
par 3 titres irrésistibles
chaque mois.

69 L'ASTROLOGIE EN DIRECT
TOUT AU LONG
DE L'ANNÉE.

(France métropolitaine uniquement)

Par téléphone 08.92.68.41.01

0,34 € la minute (Serveur JET MULTIMÉDIA).

Composé et édité par les
éditions Harlequin
Achevé d'imprimer en mars 2006

BUSSIÈRE

GROUPE CPI

à Saint-Amand-Montrond (Cher)
Dépôt légal : avril 2006
N° d'imprimeur : 60345 — N° d'éditeur : 12005

Imprimé en France